Heinzwerner Preuß **Quantenchemie für Chemiker**

Heinzwerner Preuß

Quantenchemie für Chemiker

Elementare Einführung in ihre mathematischen und wellenmechanischen Grundlagen

1972

Verlag Chemie · Weinheim/Bergstr.

Mit 50 Abbildungen und 3 Tabellen

1. Auflage 1966
Erster Nachdruck der ersten Auflage 1969
2. Auflage 1972

Library of Congress Catalog Card Number 66-20145

ISBN 3-527-25233-9

 Druck: Offsetdruckerei Julius Beltz, Weinheim/Bergstr.

Inhaltsverzeichnis

Geleitwort

Auch derjenige Chemiker, der sich nicht zu den Theoretikern zählt, ist heute genötigt — und das oft, bevor er zu experimentieren beginnt — theoretische Vorstellungen zu entwickeln, zu denen er einiger Kenntnisse in der Quantenchemie bedarf. Dafür gibt es, insbesondere in der angelsächsischen Literatur, viele mehr oder minder umfangreiche Monographien verschiedenen Schwierigkeitsgrades. In der deutschen Literatur dagegen fehlt, wie mir scheint, bis heute eine vergleichsweise leicht faßliche Einführung, die dem ernsthaften Leser sowohl die Grundbegriffe vermittelt als ihn auch befähigt, sich nach Lust und Neigung weiterzubilden.

Dieses Problem stellt sich dem Anorganiker nicht weniger als dem Organiker.

Zu meinem Vergnügen bin ich heute in der Lage, mit diesen Zeilen auf das kleine Buch „Quantenchemie für Chemiker" hinzuweisen, das mir diese Lücke vortrefflich auszufüllen scheint. Ich kann das mit um so überzeugterem Gewissen tun, als sein Autor in meinem Arbeitskreis Übungen zu diesem Thema abgehalten hat, an denen wir sehr gerne und, wie ich glaube, mit Erfolg teilgenommen haben.

Der Verlag Chemie hat sich zu meiner Freude entschlossen, zur Quantenchemie mehrere Bücher verschiedenen Schwierigkeitsgrades herauszubringen. Ich wünsche dem ersten davon aus der Feder von Dr. Preuss alles Gute auf den Weg.

E. O. Fischer

München,
im Juni 1966

Vorwort

Das Buch wendet sich an diejenigen Chemiker, die an der theoretischen Chemie (Quantenchemie) interessiert sind, aber auf Grund ihrer Ausbildung nur mit Mühe in der Lage sind, die einschlägige Lehrbuchliteratur (ganz zu schweigen von den Originalarbeiten) zu verarbeiten.

Der Grund hierfür liegt meiner Meinung nach im Mangel an mathematischem Wissen und an der unvollständigen Kenntnis der wellenmechanischen Prinzipien.

Um dieser Schwierigkeit abzuhelfen, sind hier diese beiden Punkte ganz besonders herausgestellt worden, wobei das vorauszusetzende mathematische Wissen kaum dem des Abiturs entsprechen dürfte. Daher werden gerade hier manche Leser auf Bekanntes treffen; dennoch glaube ich, daß es nützlich ist, so weit zurückzugreifen, da auf diese Weise das Heranführen an die mathematischen Aspekte der Quantenchemie stetiger und weniger anstrengend vorgenommen werden kann. Was die Prinzipien der Wellenmechanik anbetrifft, so ist nur das Allernotwendigste behandelt, wie überhaupt die Vorstellung beim Schreiben dieses Buches darin bestand, nur das unbedingt Erforderliche zu besprechen und dennoch zu einem ungefähren Überblick über das ganze Gebiet zu gelangen. Der Umfang des Gebotenen sollte soweit wie möglich reduziert werden, andererseits sollte der Leser, wenn er das Buch ganz durchgelesen hat, das Wissen besitzen, neben den allgemeinen Lehrbüchern, auch schon einige Originalarbeiten verstehen zu können.

Der behandelte Stoff stellt somit einen gewagten Kompromiß dar, denn manches ist weggelassen worden, was vielleicht hätte aufgenommen werden müssen, zum anderen sollte der geringe Umfang im Hinblick auf die Breite dieses Forschungsgebietes den Leser in den Stand setzen, das ganze Buch bequem durchzuarbeiten. Der elementaren und knappen Darstellung ist in jedem Falle der Vorrang gegeben worden, wobei auf viele Beweise verzichtet wurde. Mathematische Exaktheit und tiefere physikalische Begründung wurden nur insoweit erfüllt, daß damit ein verständnisvolles Anwenden der Theorie möglich ist.

Die quantenchemischen Verfahren wurden auf eine bisher in der Literatur noch nicht aufgetretene Art und Weise besprochen, indem ihre Unterscheidungen vom verwendeten Hamiltonoperator aus vorgenommen werden; die verschiedenen Ansätze für die Näherungen der Wellenfunktionen folgen teilweise schon aus diesem Unterscheidungsprinzip.

Der Entschluß, ein solches Buch zu schreiben, wurde im Laufe vieler Diskussionen mit Chemikern und Physiko-Chemikern gefaßt. Es verbindet sich damit auch die Hoffnung, daß dadurch viele interessierte, aber noch abseits stehende Chemiker in die Lage versetzt werden, die früher vom Autor veröffentlichten Zusammenfassungen über Quantenchemie („Grundriß der Quantenchemie"; „Quantentheoretische Chemie" I–IV, beide BI-Mannheim, 1962, 1963–1965; „Die Methoden der Molekülphysik und ihre Anwendungsbereiche", Akademie-Verlag, Berlin 1959; sowie „Integraltafeln zur Quantenchemie", Springer-Verlag, Berlin 1957–1960), die sich teilweise mehr an Physiker oder fortgeschrittene Chemiker wandten, besser lesen zu können. Schließlich soll dieses Buch auch dazu einen kleinen Beitrag leisten, daß sich eines Tages eine Theoretische Chemie ausbildet, die zu der bisherigen Chemie in einem ähnlichen Verhältnis steht, wie die Theoretische Physik zu experimenteller und angewandter Physik.

München, im Mai 1966 H. Preuß

Allgemeine Bezeichnungen

a) Griechische Buchstaben

α A	β B	γ Γ	δ Δ	ε E	ζ Z	η H
Alpha	Beta	Gamma	Delta	Epsilon	Zeta	Eta
ϑ Θ	ι I	$\varkappa$ K	λ Λ	μ M	ν N	ξ Ξ
Theta	Jota	Kappa	Lambda	My	Ny	Xi
o O	π Π	ϱ P	σ Σ	τ T	υ Υ	φ Φ
Omikron	Pi	Rho	Sigma	Thau	Ypsilon	Phi
χ X	ψ Ψ	ω Ω				
Chi	Psi	Omega				

b) Bezeichnungen

$=$	gleich
$\equiv$	identisch gleich
$\neq$	ungleich
$>$	größer als (von links)
$<$	kleiner als (von links)
$\pm$	plus oder minus
$\approx$	annähernd gleich
$\sim$	ähnlich (zugeordnet)
$\triangleq$	entspricht
lim	Limes, Grenzwert
$\rightarrow$	läuft zu auf (Übergang)
$\|a\|$	absoluter Wert von a
Δx	Delta x, $(x_2 - x_1) = \Delta x$
$\mathrm{d}x$	„de ix" Differential von x

1. Einleitung

Man kann dabei stehenbleiben zu wissen, wie zum Beispiel Chrom oder Arsen nachgewiesen wird, oder sich die Regel merken, daß Halogen-Wasserstoffe an Olefine addiert werden, indem das Halogen an das C-Atom mit der geringsten Zahl von H-Atomen geht (Regel von Markownikow). Man weiß, daß die Bindungsabstände in Kohlenstoffketten nach innen abnehmen, oder daß Phenol wesentlich saurer ist als die aliphatischen Alkohole. Man kann wissen, daß im $[PdCl_4]^{2-}$ die Chloratome in einer Ebene liegen oder zum Beispiel, daß ab vier linear kondensierten Benzolringen die Verbindungen farbig werden, dagegen sind Tetraphen und Pyren farblos.
Unsere chemische Erfahrung ist praktisch unübersehbar geworden. Durch Probieren und mit Hilfe großer praktischer Erfahrungen werden täglich neue Kenntnisse gewonnen. Diese Erfahrung ist mit vielen Regeln durchsetzt und wird nicht zuletzt dadurch repräsentiert, daß jeder gute Chemiker ein gewisses „Gefühl" für die Fragen erworben hat. Dennoch gibt es immer wieder Überraschungen und Fehlschläge (die nicht publiziert werden). Unser Wissen vermehrt sich mit immer zunehmender Geschwindigkeit, was zu weit verzweigtem Spezialistentum geführt hat.
In Anbetracht dieser Tatsachen sind einige Chemiker dazu übergegangen, die Erfahrungen im Rahmen von Schemata und Modellvorstellungen zusammenzufassen. Dies ist bereits *der erste Schritt in Richtung einer Theorie!* So werden für Phenol (um an die oberen Beispiele anzuknüpfen) die folgenden „Strukturen" angenommen

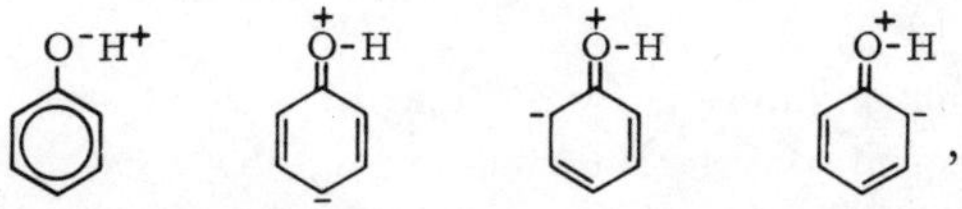

(1)

aus denen sich die Verhaltensweise herauslesen läßt. Andererseits wird zum Beispiel $R-CH=CH_2$ in der Form geschrieben

$$R \leftarrow \overset{+\delta}{C}H \leftleftarrows \overset{-\delta}{C}H_2 , \qquad (2)$$

aus der die obige Regel der HCl-Addition folgt. Aus der Vielzahl der Erfahrungen wurde beispielsweise das Additivitätsgesetz der Bindungsenergien (bei lokalisierten Bindungen!) aufgestellt, oder das Wurzelgesetz bei konjugierten C=C-Gruppen gefunden. Vielfältig sind die Regeln im Valenzwinkelproblem. Schließlich wurde die Vorstellung der Elektronegativität eingeführt.
Dieses Vorgehen, welches auf ein Aufstellen von Regeln und Relationen hinausläuft, hat seine Nützlichkeit in sehr vielen Fällen bewiesen! Sein augenscheinlicher Vorteil

besteht darin, daß es sogleich, ohne nähere Kenntnis des „Warum", bestimmte, aber nicht fundierte, Voraussagen gestattet, und eine gewisse, aber keineswegs vollständige Ordnung in die verwirrende Vielzahl der Erfahrungstatsachen einführt. Das vorauszusetzende „nichtchemische Wissen" ist dabei gering.

Diese Phase in der Entwicklung der Chemie hat seit längerer Zeit ihren Abschluß gefunden. Sie hat mit Theoretischer Chemie nichts zu tun, aber sie kann als eine *Vorstufe* aufgefaßt werden, die auch für die Zukunft größtenteils beibehalten werden kann und muß, denn nicht alle Chemiker werden den weiteren Schritt zur Theorie hin vollziehen wollen und können.

Die Schwäche dieses Vorgehens besteht nicht nur im Mangel an echtem Verständnis, sondern schon darin, daß die Vorstellungen dieser Verfahren bisher nicht klar formuliert werden konnten. So wissen wir auf dieser Stufe nicht, welche der Strukturen z. B. in (1) die wesentliche Rolle spielen, welche im angeregten Zustand des Moleküls auftreten und auf welche Weise diese Strukturen die wirkliche Verbindung repräsentieren. Hier wird oft das Ergebnis schon in die Überlegungen hineingesteckt, die vielen Ausnahmeregeln in diesen Überlegungen beweisen dies! Oder was wollen wir uns unter einem positiven Induktionseffekt vorstellen, den wir mit der Darstellung (2) verbinden? Wie und wann hängt dieser von R ab und wie sehen die Verhältnisse bei Anregung aus? Was stellt eigentlich die Elektronegativität dar, die aus so vielen empirischen Relationen definiert werden kann?

Die Beantwortung aller dieser Fragen, von denen wir nur wenige erwähnen können, ist Aufgabe der Theoretischen Chemie, von der wir hier den bei weitem umfangreichsten und bedeutendsten Teil, die Quantenchemie, besprechen wollen.

Die Aufgabe der Quantenchemie besteht also darin, die Prinzipien der Wellenmechanik für ein echtes Verständnis auf die Probleme der Chemie anzuwenden und in eine Form zu bringen, die ihre allgemeine, und für die Praxis gewünschte Brauchbarkeit ermöglicht.

Nur in diesem Rahmen kann die Quantentheorie zum Verständnis der chemischen Vorgänge herangezogen werden. Im Einklang mit der Tatsache, daß die Vorgänge in atomaren und molekularen Dimensionen nicht den Gesetzen der klassischen Mechanik, sondern der Quantentheorie (Wellenmechanik) gehorchen, die für größere Dimensionen stetig in die bekannten makroskopischen Gesetze der Mechanik übergehen!

In diesem Sinne können Rezepte, Interpolationen oder die oben angedeuteten Verfahren prinzipiell kein echtes Verständnis der chemischen Vorgänge erreichen, denn sie entbehren der wellenmechanischen Prinzipien. Bestenfalls können Begriffe wie z. B. Ionisierungsenergie, Affinität und Anregung als Ableitungen aus quantentheoretischen Vorstellungen aufgefaßt werden.

2. Mathematische Grundlagen und Begriffe

a) Der Funktionsbegriff, Grenzwerte

α) Zahlenfolgen

Eine in *bestimmter* Reihenfolge angeordnete Menge von Zahlen nennen wir eine *Zahlenfolge*. Jede einzelne Zahl dieser Folge heißt ein *Element*. Bezüglich der Anzahl solcher Elemente unterscheidet man *endliche* und *unendliche* Zahlenfolgen.
Die Folgen

$$3, 4, 5, 6, \ldots$$

$$1, \frac{1}{2}, \frac{1}{3}, \frac{1}{4}, \ldots$$

$$3, 3, 3\frac{2}{3}, 4\frac{1}{2}, \ldots \tag{1}$$

sind unendliche Zahlenfolgen. Brechen diese Folgen ab, so liegen endliche Zahlenfolgen vor, zum Beispiel

$$1, \frac{1}{2}, \frac{1}{3}, \frac{1}{4}, \frac{1}{5}$$

oder

$$1, 2, 5, 10, 17. \tag{2}$$

Allgemein kann man die *Elemente a* einer Zahlenfolge *numerieren*. Dies kann beispielsweise durch *Indizierung* von a geschehen;

$$a_1, a_2, a_3, a_4, \ldots, a_k, \ldots \tag{3}$$

oder auch durch die Angabe

$$a_k;\ (k = 1, \ldots, M), \tag{4}$$

wobei eine endlichen Zahlenfolge a_k vorliegt, wenn M endlich ist. Für die zweite Folge in (2) ist also $M = 5$ und

$$a_1 = 1, \quad a_2 = 2, \quad a_3 = 5, \quad a_4 = 10, \quad a_5 = 17. \tag{5}$$

Eine Zahlenfolge besitzt einen *Häufungspunkt* (Häufungsstelle) bei der Zahl b, wenn in einer beliebig kleinen Umgebung der Zahl b, also zwischen den beiden Zahlen $b - \varepsilon$ und $b + \varepsilon'$, wobei ε und ε' beliebig klein, aber nicht Null sein können, noch unendlich viele Zahlen der Folge liegen.

Endliche Zahlenfolgen besitzen keinen Häufungspunkt, dagegen beträgt dieser bei der zweiten Folge in (1) $b = 0$. Die erste Folge in (1), obwohl unendlich, hat keinen Häufungspunkt. Die Folge

$$1, 1\frac{1}{2}, 1\frac{1}{4}, 1\frac{1}{8}, 1\frac{1}{16}, \ldots \tag{6}$$

hat die Häufungsstelle $b = 1$. Die Häufung kann unter Umständen nur zwischen $b + \varepsilon$ und b oder zwischen $b - \varepsilon$ und b liegen. Die zweite Folge in (1) hat ihre Häufung zwischen $+\varepsilon$ und 0. Eine Häufung auf beiden Seiten des Häufungspunktes besitzt die Zahlenfolge

$$1, -\frac{1}{2}, +\frac{1}{3}, -\frac{1}{4}, +\frac{1}{5}, \ldots \tag{7}$$

Jede Zahl, oberhalb der keine Zahl der Zahlenfolge liegt, wird eine *obere Schranke* der Folge genannt. Die kleinste obere Schranke nennt man *obere Grenze*. In entsprechender Weise spricht man von *unterer Schranke* und *unterer Grenze*. Die Grenzen können ein Element der Zahlenfolgen sein oder auch nicht. Zahlenfolgen mit Schranken werden als nach oben (oder nach unten) beschränkte Zahlenfolgen bezeichnet.

Die erste Folge in (1) hat z.B. die unteren Schranken -1, 0 oder $2\frac{1}{2}$ und ist nach oben unbeschränkt. Die untere Grenze ist 3 und gehört der Folge an. Die beiden Grenzen der zweiten Folge in (1) sind 1 und 0, wobei Null nicht der Folge angehört (ist kein Element der Folge). Die Zahlenfolge

$$0, -1, +1, -2, +2, \ldots \tag{8}$$

ist auf beiden Seiten unbeschränkt, dagegen sind in

$$0, \frac{1}{2}, -\frac{2}{3}, \frac{3}{4}, -\frac{4}{5} \tag{8a}$$

die Zahlen $+1$ und -1 obere und untere Grenzen.

Allgemein: Die Elemente einer beschränkten und unendlichen Zahlenfolge $a_1, a_2 \ldots$ *streben einem Grenzwert g zu* (*konvergieren gegen einen Grenzwert g*, laufen gegen einen Grenzwert g), wenn sich zu einer beliebig kleinen Umgebung $g \pm \varepsilon$ ein bestimmtes Element a_k der Folge angeben läßt, so daß alle folgenden Elemente $a_{k+1}, a_{k+2}, \ldots$ innerhalb dieser Umgebung liegen.

Diese Tatsache wird abgekürzt wie folgt geschrieben

$$\lim_{k \to \infty} a_k = g; \qquad (g < \infty); \tag{9}$$

(„Limes von a_k für k gegen unendlich ist g").

Die zweite Folge in (1) hat den Grenzwert Null. Die Folge

$$0, \frac{1}{4}, \frac{2}{5}, \frac{3}{6}, \frac{4}{7}, \frac{5}{8}, \frac{6}{9}, \ldots \tag{10}$$

besitzt den Grenzwert 1!

Das *Bildungsgesetz* einer Zahlenfolge ist nicht immer leicht zu erkennen. Für die erste und zweite Folge in (1) heißt dieses

$$a_k = 3 + k, \qquad (k = 0, 1, 2, \ldots) \tag{11}$$

und

$$a_k = \frac{1}{k+1} \qquad (k = 0, 1, 2, 3, \ldots) \tag{12}$$

bzw.

$$a_k = 1 - \frac{k}{1+k}. \tag{13}$$

Für die dritte Folge in (1), für (8a) und (10) ist zu schreiben

$$a_k = 1 + k + \frac{2}{k+1}, \tag{14}$$

$$a_k = (-1)^{k+1} \frac{k}{k+1}, \tag{15}$$

$$a_k = \frac{k}{3+k}, \tag{16}$$

wobei $k = 0, 1, 2, \ldots$ Aus (15) und (16) folgen leicht die Grenzwerte der entsprechenden Folgen. Etwa nach

$$\lim_{k\to\infty} \frac{k}{3+k} = \lim_{k\to\infty} \frac{1}{1+\frac{3}{k}} = 1, \tag{17}$$

weil

$$\lim_{k\to\infty} \frac{1}{k} = 0, \tag{17a}$$

wenn in (16) Zähler und Nenner durch k dividiert werden.

β) *Variable*

Bisher war k für eine bestimmte Zahl (oder für bestimmte Zahlen) gedacht. Denkt man sich aber unter einem Buchstaben (z. B. k oder x) *jede* Zahl aus einem gewissen Intervall zwischen a und b, schreibt also

$$a \leq x \leq b, \tag{18}$$

wobei x größer und gleich a ($a \leq x$) und kleiner und gleich b ($x \leq b$) sein soll, so nennt man x eine *Veränderliche* oder *Variable*. Bei der Intervallangabe (18) einer Variablen x brauchen a oder b nicht unbedingt zum *Bereich* von x zu gehören. In diesem Falle schreibt man

$$a < x \leq b \tag{19a}$$

$$a \leq x < b$$

oder

$$a < x < b. \tag{19b}$$

Im Falle (19b) darf x nur größer als a ($a < x$) oder kleiner als b ($x < b$) sein. a und b sind im obigen Sinne sozusagen Grenzwerte der *kontinuierlichen Folge* aller möglichen x (x-Werte).

Zum Beispiel gilt für die Temperatur T (in Celcius)

$$-273{,}16° < T < \infty°, \tag{20}$$

wobei das linke Ungleichheitszeiten die Unerreichbarkeit des absoluten Nullpunktes darstellt. Über die Geschwindigkeit v von Körpern sagt die Relativitätstheorie aus

$$0 \leq v < c, \qquad (c = \text{Lichtgeschwindigkeit}), \tag{21}$$

wenn wir nur positive v zulassen; andererseits ist zu schreiben

$$-c < v < c. \tag{21a}$$

γ) *Reelle und imaginäre Zahlen*

Unter der Kontinuität einer Variablen x zwischen a und b verstehen wir die Gesamtheit aller reellen Zahlen. Diese setzen sich aus den *rationalen* (positive und negative ganze und gebrochene Zahlen (Brüche)) und aus den *irrationalen* Zahlen zusammen. Die letzteren lassen sich nicht exakt durch rationale Zahlen darstellen, wie etwa $\sqrt{2}$ (Diagonale des Einheitsquadrats) oder lg 3. Auch $\pi = 3{,}141\ldots$ oder $e = 2{,}718\ldots$ gehören dazu.

Wir haben damit aber noch nicht alle möglichen „Zahlen" erfaßt. Die Gleichung

$$x^2 = -1 \tag{22}$$

hat nach dem Bisherigen keine Lösung. Wir setzen

$$\sqrt{-1} = i, \qquad i^2 = -1 \tag{22a}$$

und bezeichnen die neue Zahl i als „imaginäre Einheit". Die Zahlen

$$z = bi, \tag{23}$$

wenn b eine reelle Zahl darstellt, nennt man *rein imaginäre* Zahlen. So gilt zum Beispiel*)

$$\sqrt{-4} = \sqrt{4}\,\sqrt{-1} = \pm 2i \tag{24a}$$

$$\sqrt{-3} = \sqrt{3}\,\sqrt{-1} = \pm|\sqrt{3}|\,i. \tag{24b}$$

*) Die Absolutstriche an $|\sqrt{3}|$ oder z. B. an $|a|$ bedeuten die positiven Werte von $\sqrt{3}$ bzw. von a, also etwa $|-a| = a$; absoluter Wert (Betrag) von a.

man beachte, daß Gleichung (22) die beiden Lösungen i und $-i$ hat. Dieselbe *Zweideutigkeit* $\pm$ tritt schon bei den reellen Zahlen auf, z. B. in

$$\sqrt{4} = \pm 2. \tag{25}$$

Die Addition einer reellen Zahl a mit einer rein imaginären Zahl bi liefert

$$z = a + bi, \tag{26}$$

z wird als *komplexe Zahl* bezeichnet. Die Null ist danach den reellen und komplexen Zahlen gemeinsam! Die komplexen Zahlen werden ebenfalls als Zahlen bezeichnet, da man mit ihnen formal genauso wie mit reellen Zahlen rechnen kann, ohne auf Widersprüche oder falsche Aussagen geführt zu werden. Beispiele:

$$(a + bi) \pm (c + di) = (a \pm c) + (b \pm d)i \tag{27a}$$

$$(a + bi)(c + di) = (ac - bd) + (ad + bc)i \tag{27b}$$

$$\frac{a + bi}{c + di} = \frac{(ca + db)}{(c^2 + d^2)} + \frac{(cb - da)}{(c^2 + d^2)}\, i. \tag{27c}$$

Die Gleichung (27b) erhält man, wenn (22a) beachtet wird. (27) kann man herleiten, wenn man setzt

$$\frac{a + bi}{c + di} = A + Bi, \tag{28}$$

beide Seiten des Gleichheitszeichens mit $c + di$ multipliziert und die entsprechenden Gleichungen nach A und B auflöst, wobei man verwendet, daß „Realteil“ und „Imaginärteil“ auf beiden Seiten gleich sein müssen.

Zwei komplexe Zahlen, deren Imaginärteile (imaginäre Komponenten) sich nur um das Vorzeichen unterscheiden, heißen *konjugiert* zueinander. Aus (27b) folgt für das Produkt solcher Zahlen (Quadrat des Absolutbetrages) das Ergebnis

$$(a + bi)(a - bi) = a^2 + b^2, \tag{29}$$

welches immer reell ist. Man schreibt oft für die konjugiert komplexe Zahl von (26)

$$z^* = a - bi. \tag{30}$$

Da wir unter Zahlen auch die komplexen Zahlen verstehen, so können also die bisherigen Überlegungen auf diesen Zahlenbegriff ausgedehnt werden. Das gilt zum Beispiel für Variable z, deren Intervalle im Reellen *und* Imaginären angegeben werden müssen. Also zum Beispiel

$$z = x + x'i \tag{31}$$

im Intervall

$$a \leq x < b$$

$$c < x' \leq d. \tag{31a}$$

Auch Zahlenfolgen können komplexe (oder imaginäre) Zahlen enthalten. Beispiele sind

$$0, i, 2i, 3i, \ldots \tag{32a}$$

oder

$$1+i, \left(\frac{1}{2}\right)+2i, \left(\frac{1}{4}\right)+4i, \left(\frac{1}{8}\right)+8i, \ldots \tag{32b}$$

Die Betrachtungen der Grenzwerte und Schranken werden jeweils getrennt am Realteil und am Imaginärteil vorgenommen.

δ) *Funktionen*

Ist von mehreren Variablen $x_1 \ldots x_M$ eine von den anderen *abhängig*, so sagt man, daß diese eine *Funktion* der anderen ist. Man schreibt dann

$$x_1 = f_1(x_2 x_3 \ldots x_M) \tag{33}$$

und nennt f_1 *eine Funktion von mehreren* (hier $M-1$) *Veränderlichen.* Oft werden auch die $x_2 \ldots x_M$ als *Argumente* der Funktion f_1 bezeichnet. Daraus folgt sogleich, daß auch gleichzeitig damit gelten muß

$$x_k = f_k(x_1 \ldots x_M), \qquad (k = 2 \ldots M), \tag{34}$$

wenn auf der rechten Seite jeweils x_k weggelassen wird. Aus (34) ergibt sich weiter

$$x_k - f_k(x_1 \ldots x_M) \equiv F(x_1 x_2 \ldots x_M) \equiv 0, \tag{35}$$

so daß wir (33) und (34) als Auflösungen der Beziehung (35) nach x_1 bzw. x_k auffassen können. Gleichung (35) sagt aus, daß im Falle, wenn jede der M Variablen x_k von den anderen abhängt, eine Funktion von M Veränderlichen x_k vorliegen muß, die identisch Null ist (identisch verschwindet). Als Beispiel sei für (33) geschrieben ($M = 2$)

$$x_1 = f_1(x_2) \equiv x_2^2, \tag{36a}$$

dann folgt daraus (vgl. (34))

$$x_2 = f_2(x_1) = \pm\sqrt{x_1}, \tag{36b}$$

und weiter

$$F(x_1 x_2) = x_1 - x_2^2 \equiv 0. \tag{36c}$$

Ein Beispiel für $M = 3$ in (33) ist

$$x_1 = x_2 + \frac{1}{x_3} = f_1(x_2 x_3). \tag{37a}$$

Die Auflösungen nach x_2 oder x_3 lauten:

$$x_2 = f_2(x_1 x_3) = x_1 - \frac{1}{x_3}, \tag{37b}$$

$$x_3 = f_3(x_1 x_2) = \frac{1}{x_1 - x_2}. \tag{37c}$$

Schließlich ist

$$F(x_1 x_2 x_3) = x_1 - x_2 - \frac{1}{x_3} \equiv 0. \tag{37d}$$

Die Auflösung nach x_k wie in (33) und (34) nennen wir die *explizite Darstellung* einer Funktion, im Gegensatz zur *impliziten* Form wie (35), die wir mit F bezeichneten. Eine explizite Form ist nicht in jedem Falle anzugeben, so folgt aus

$$F(x_1 x_2) = x_1 + x_2 + x_2^3 + x_2^4 \equiv 0 \tag{38}$$

zwar

$$x_1 = -x_2 - x_2^3 - x_2^4 = f_1(x_2), \tag{38a}$$

aber eine Auflösung nach x_2 ist nicht möglich.
Ist eine Funktion in „mathematischer" Form gegeben, wie alle bisherigen Beispiele, so nennen wir diese eine *analytische Darstellung*. Eine Funktion von einer Veränderlichen kann auch neben der analytischen Darstellung noch *numerisch* dargestellt sein, indem die Zahlenwerte von x_1 und x_2, wenn zum Beispiel $x_1 = f(x_2)$, für gewisse x-Paare angegeben werden. Sei zum Beispiel

$$x_1 = f(x_2) = e^{-x_2}, \tag{39}$$

so könnte etwa eine numerische Darstellung (Tabelle) wie folgt aussehen:

x_1	x_2
1,00	0,0
0,37	1,0
0,22	1,5
0,14	2,0
0,00	6,0

Tabelle 1

Da die analytische Form bekannt ist, können prinzipiell für jedes x_2 die x_1-Werte ausgerechnet werden. Es kann aber auch vorkommen, daß eine Funktion nur

numerisch bekannt ist und die analytische Form fehlt. Hier sind in der Regel aus der Praxis nur einige $x_1 x_2$-Paare bekannt, wenn die Funktion von einem Argument abhängt. Daß eine Funktion (ein funktioneller Zusammenhang) vorliegt, wird in der Regel aus anderen Überlegungen geschlossen. Wir können an dieser Stelle schon die Feststellung treffen, daß eine Theorie unter anderem zum Ziel hat, gewisse Zusammenhänge in der Natur in Form von Funktionen zu finden. Erst dann ist der Zugang zum tieferen Verständnis aufgetan.
Die Strecke s, die ein gleichmäßig beschleunigter Körper im Vakuum vom Zeitpunkt $t = 0$ bis t zurückgelegt hat, wird numerisch gefunden zu

s(cm)	t(s)
0,0	0,0
2,5	0,5
10,0	1,0
90,0	3,0
1000,0	10,0

Tabelle 2

Erst die Theorie liefert den genauen funktionellen Zusammenhang

$$s = \frac{a}{2} t^2, \tag{40}$$

wenn die gleichförmige Beschleunigung $a \left[\frac{\text{cm}}{\text{s}^2}\right]$ beträgt. In unserem Beispiel (Tabelle 2) ist $a = 20 \frac{\text{cm}}{\text{s}^2}$. Aus (40) folgt sogleich, was numerisch erst durch eine Reihe weiterer numerischer Darstellungen gezeigt werden kann, daß s von der Masse des Körpers explizite nicht abhängt, wenn a bekannt ist. Abweichungen von (40) erlauben die Diskussion des Einflusses der Luftreibung.

ε) *Graphische Darstellungen*

Eine dritte Möglichkeit, eine Funktion darzustellen, ist die *graphische*, indem die x_1- und x_2-Werte, die zusammengehören, auf zwei senkrecht aufeinander stehenden Achsen (x_1- und x_2-Achse) aufgetragen werden. Der Schnittpunkt der beiden auf den Achsen senkrechten Geraden, die durch diese Punkte gehen, wird dann dem jeweiligen x_1, x_2-Paar zugeordnet:

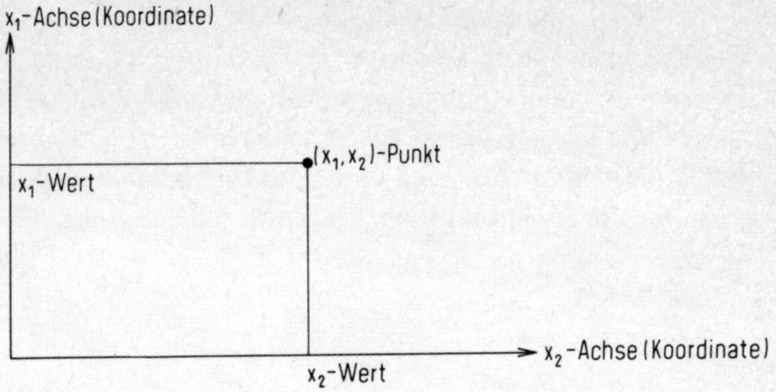

Abb. 1

Jedem Paar x_1, x_2 nach

$$x_1 = f(x_2) \tag{41}$$

entspricht also ein Punkt im Koordinatensystem nach Abb. 1. Etwa in folgender Form,

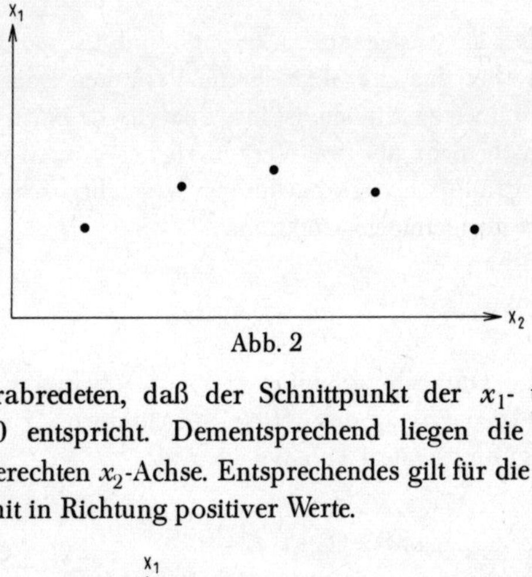

Abb. 2

wobei wir noch verabredeten, daß der Schnittpunkt der x_1- und x_2-Achsen dem Punkt $x_1 = 0$, $x_2 = 0$ entspricht. Dementsprechend liegen die negativen x_1-Werte unterhalb der waagerechten x_2-Achse. Entsprechendes gilt für die negativen x_2-Werte. Die Pfeile zeigen somit in Richtung positiver Werte.

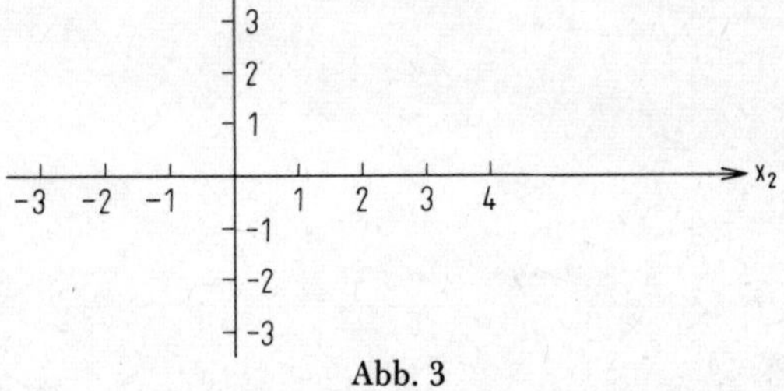

Abb. 3

Die Einteilung auf den Koordinatenachsen kann prinzipiell beliebig sein. Man wählt im allgemeinen jene, die ein klares und anschauliches Bild von einer Funktion liefert, d.h. die graphische Form einer Funktion ist von der gewählten Einteilung auf den Koordinatenachsen abhängig. Können prinzipiell alle Paare x_1, x_2 bestimmt werden, liegt also die Funktion analytisch vor, so kann eine Kurve in das Koordinatensystem gezeichnet werden, die die Funktion graphisch repräsentiert, etwa:

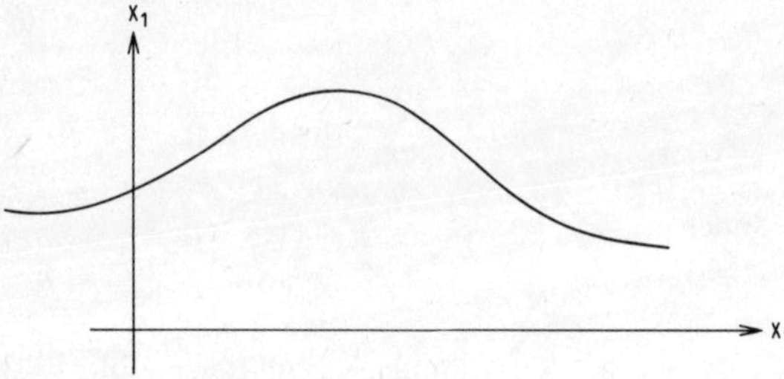

Abb. 4

Eine Kurve erlaubt, im Gegensatz zu vielen analytischen Darstellungen, einen schnellen Überblick über das charakteristische Verhalten einer Funktion. Um aber mit einer Funktion rechnen zu können, ist ihre analytische Form viel günstiger.
Liegen Funktionen von mehr als zwei Veränderlichen vor, so sind ihre numerischen und besonders ihre graphischen Darstellungen wesentlich schwieriger, während die analytischen Formen noch einfach sein können.
Im Falle

$$x_1 = f(x_2 x_3) \tag{42}$$

kann die graphische Darstellung auf einer Fläche (Schreibpapier) nach dem bei Landkarten verwendeten Prinzip der „Höhenschichtlinien" vorgenommen werden, zum Beispiel wie folgt angedeutet (Abb. 5),

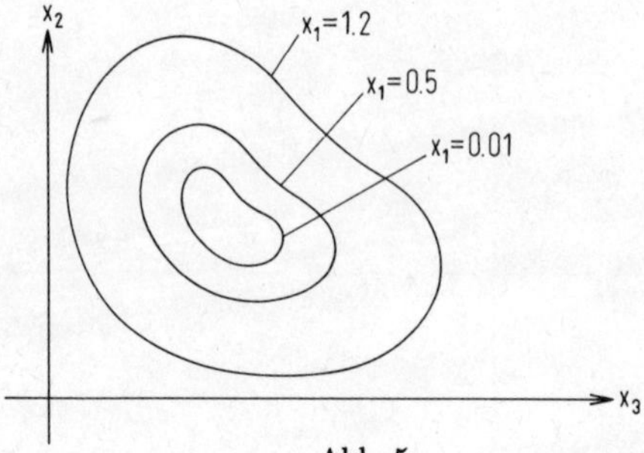

Abb. 5

indem die x_1-Koordinaten (Achse) die Höhe von der x_2x_3-Fläche angeben. Es liegt ein „x_1-Gebirge" vor, das mit Hilfe der „Höhenschichtlinien" zweidimensional beschrieben wird. Die Kurven verbinden jeweils alle x_2x_3-Paare, die nach (42) den gleichen x_1-Wert liefern.
Erlaubt (42) auch Auflösungen nach x_2 und x_3, so kann die implizite Funktion

$$F(x_1x_2x_3) = 0 \tag{43}$$

dreimal auf obige Weise graphisch dargestellt werden, wobei die „Schichtlinien" jedesmal ein anderes Aussehen haben können.
Bei Funktionen mit mehr als zwei Veränderlichen wird im allgemeinen so vorgegangen, daß so viel Variable konstant gehalten werden, daß wieder eine graphische Darstellung, wie oben diskutiert, möglich ist. Welche Variablen konstant gehalten oder für einige Werte konstant gehalten werden, hängt sehr vom vorliegenden Problem ab.

Unter einer Funktion im allgemeinen verstehen wir mannigfaltige funktionelle Zusammenhänge zwischen Veränderlichen. Tragen wir beispielsweise den abgestrahlten Lichtstrom I einer Lampe als Funktion der Zeit auf, wenn wir diese bei $t = t_0$ einschalten, so erhalten wir folgende graphische Darstellung

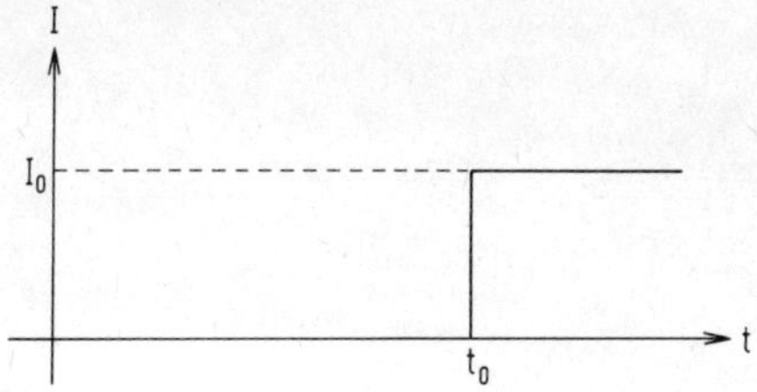

Abb. 6

Die Lampe strahlt den Lichtstrom I_0 ab. Hier hat die Funktion $I = f(t)$ einen „Sprung" bei $t = t_0$. Allerdings ist noch der ganze t-Bereich Definitionsgebiet der Funktion $f(t)$; d. h. für alle t-Werte gibt es einen definierten I-Wert. Es gibt aber auch Funktionen $f(x)$, die nur für einige Punkte x definiert sind; die Formeln (11) bis (16) sind Beispiele dafür. Dort waren die Funktionswerte, die Elemente einer Zahlenfolge sind, nur für ganzzahlige k-Werte (einschließlich der Null) definiert (zugelassen).
Ein Beispiel für eine Funktion diskreter Werte sind die Energiewerte des Wasserstoffatoms

$$E(n) = -\frac{1}{2n^2}, \tag{44}$$

die nur für die n-Werte $n = 1, 2, 3 \ldots$ existieren. Diese Punktwerte von E haben in $E = 0$ einen Häufungspunkt. Dagegen kann das H-Atom alle positiven Energiewerte annehmen. –

Neben den reellen Funktionen, deren Argumente reell sind, gibt es auch komplexe Funktionen

$$Z = f(z), \tag{45}$$

in denen z nach (31) erklärt ist und

$$Z = X + X'i \tag{45a}$$

bedeutet. Das Produkt einer komlexen Funktion f mit ihrer konjugierten Form f^* ist reell

$$f^* f = (X + X'i)(X - X'i) = X^2 + X'^2, \tag{45b}$$

wie man aus (29) ersieht. Im übrigen gelten auch hier die Rechenregeln nach (27a) bis (27c). Auch die Überlegungen bezüglich des „Grenzüberganges" in (9) können übernommen werden, indem k in (9) jetzt kontinuierlich läuft. Also

$$\lim_{x \to \infty} f(x) = g \tag{46}$$

oder allgemeiner

$$\lim_{|z| \to \infty} f(z) = g + g'i \tag{47}$$

wenn ein solcher Grenzwert vorliegt. Beispiele sind etwa

$$\lim_{x \to \infty} \frac{x}{1 + x} = 1 \tag{48a}$$

$$\lim_{x \to \infty} \left(1 + \frac{p}{x}\right)^x = e^p; \qquad (-\infty < p < +\infty) \tag{48b}$$

oder

$$\lim_{x, x' \to \infty} \left\{\frac{1}{1 + x} + \frac{3x'^2}{2 + x'^2} i\right\} = 3i. \tag{48c}$$

Der Beweis von (48b) ist mit den bisherigen Hilfsmitteln nicht durchzuführen und wird auf später verschoben. In (48c) ist die reelle Komponente eine Funktion von x, der imaginäre Teil hängt von x' ab. Es kann aber auch vorkommen, daß beide Komponenten vom gleichen Argument abhängen, oder jede eine Funktion von mehreren Veränderlichen ist.

Jede komplexe Funktion kann in der Form geschrieben werden

$$F(x_1 \ldots x_M) = F'(x_1 \ldots x_M) + iF''(x_1 \ldots x_M). \tag{49}$$

Funktionen können noch *Parameter* k enthalten

$$x_1 = f(k, x_2). \tag{50}$$

Für jeden k-Wert existiert eine Kurve. Die Gesamtheit aller Kurven (unterschieden durch k) nennt man eine *Kurvenschar*. Ein Beispiel ist

$$x_1 = x_2^k; \qquad (-\infty < k < +\infty) \tag{51a}$$

oder

$$x_1 = x_2 + k. \tag{51b}$$

Zu (51a) gehört

$$F(x_1 x_2) = x_1 - x_2^k = 0. \tag{52}$$

Die Auflösung nach x_2 lautet

$$x_2 = x_1^{\frac{1}{k}}. \tag{53}$$

ζ) *Funktionentypen und -folgen*

Man nennt die Auflösung einer Funktion von einer Veränderlichen nach dieser Veränderlichen (die dann Funktionswert der neuen Funktion wird) die *Bildung der inversen Funktion.* Danach ist (53) die inverse Darstellung von (51a); umgekehrt kann (51a) als die inverse Funktion *(Umkehrfunktion)* von (53) bezeichnet werden. Weitere Beispiele sind

$$x_1 = e^{+x_2} \tag{54a}$$

$$x_2 = \ln x_1 \tag{54b}$$

bzw.

$$x_1 = 10^{x_2} \tag{55a}$$

$$x_2 = \lg_{10} x_1 \tag{55b}$$

und

$$x_1 = \sin x_2 \tag{56a}$$

$$x_2 = \operatorname{arc} \sin x_1 \tag{56b}$$

entsprechend

$$x_1 = \cos x_2 \tag{57a}$$

$$x_1 = \operatorname{arc} \cos x_1. \tag{57b}$$

Der Logarithmus (Abk.: „lg“) ist also die Inverse der Exponentialfunktion (e-Funktion), wobei die Basis des Logarithmus an das lg-Zeichen geschrieben wird (vgl. (55b)). Eine Ausnahme macht die Exponentialfunktion, wo im allgemeinen die Abkürzung „ln“ geschrieben wird. Es ist also

$$\ln x_1 \equiv \lg_e x_1. \tag{58}$$

Allgemein hat die Inverse von

$$x_1 = a^{x_2} \qquad (a > 1) \tag{59a}$$

die Form

$$x_2 = \lg_a x_1 . \tag{59b}$$

Die sin- und cos-Funktionen sind Seitenverhältnisse im rechtwinkligen Dreieck, nämlich

$$\frac{b}{c} = \cos \alpha \tag{60}$$

$$\frac{a}{c} = \sin \alpha , \tag{61}$$

wenn

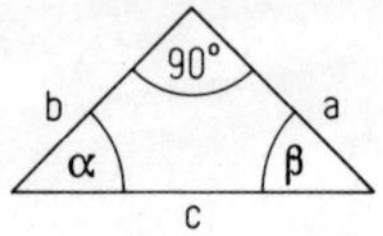

Abb. 7

Die Winkel α (bzw. β) können in *Grad* oder *Bogenmaß* angegeben sein.
Es gilt:

360°	entsprechen	2π	(Umfang eines Kreises m. Radius 1)
1°	»	0,017. . .	
57° 17′ 45″	»	1,0	

allgemein (als Funktion)

$$\alpha_{\text{Bogenmaß}} = \alpha_{\text{grad}} \frac{\pi}{180} . \tag{62}$$

Da im rechtwinkligen Dreieck immer

$$a \leq c \qquad b \leq c , \tag{63}$$

so liegen die Werte der trigonometrischen Funktionen nach (60) (61) immer zwischen −1 und +1, wobei die Winkel α und β von der Strecke c aus rechnen und negativ sind, wenn die Winkel unterhalb c liegen (s. Abb. 8).

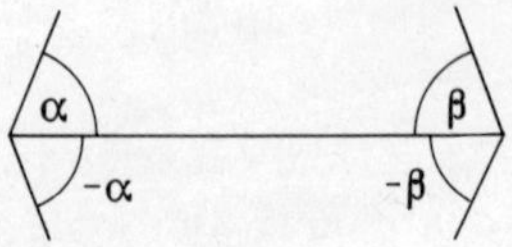

Abb. 8

Die folgenden Abbildungen (9–11) geben die Funktionen (54) (59) (56a) und (57a) graphisch wieder.

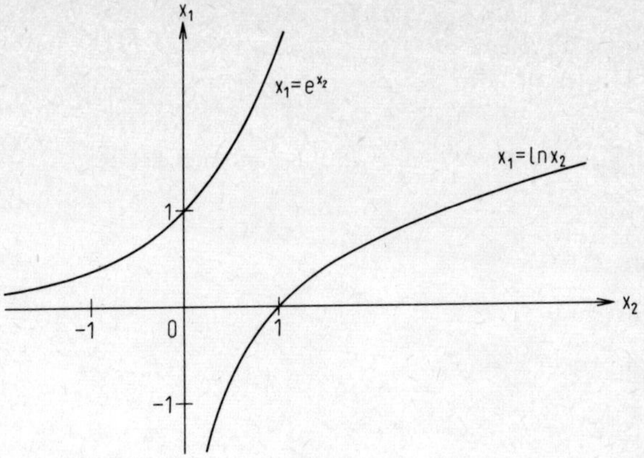

Abb. 9
Die Exponentialfunktion und ihre Inverse

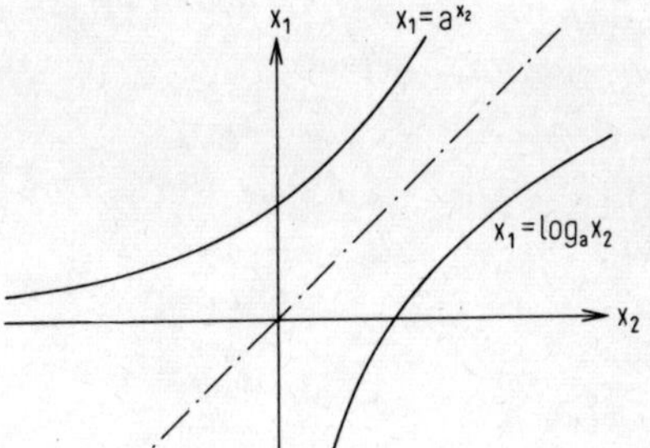

Abb. 10
a^x und seine inverse Funktion

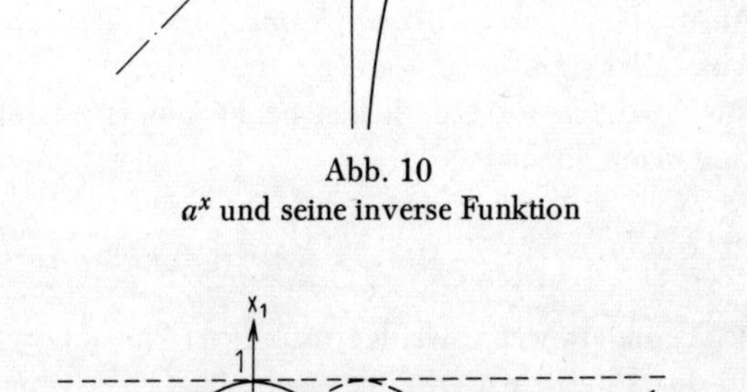

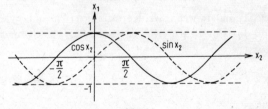

Abb. 11
sin- und cos- Funktionen

Eine Funktion $y = f(x)$ ist bezüglich der y-Achse *symmetrisch* (gerade), wenn von der Funktion die Beziehung

$$f(-x) \equiv f(x) \tag{64}$$

erfüllt wird. *Schiefsymmetrische* (ungerade) Funktionen erfüllen

$$f(-x) \equiv -f(x). \tag{65}$$

Zum Beispiel ist:

$$\cos(-x) \equiv \cos x \tag{66a}$$

$$\sin(-x) \equiv -\sin x, \tag{66b}$$

oder

$$f(-x) = (-x)^n = (-1)^n x^n = (-1)^n f(x); \quad (n = 0, 1, 2, 3, \ldots). \tag{66c}$$

Alle anderen Funktionen nennt man *unsymmetrisch*, man kann diese immer als Summe einer symmetrischen und einer schiefsymmetrischen Funktion schreiben

$$f(x) = \underbrace{\frac{1}{2}\{f(x) + f(-x)\}}_{\text{gerade}} + \underbrace{\frac{1}{2}\{f(x) - f(-x)\}}_{\text{ungerade}}. \tag{67}$$

Beispiel:

$$e^x = \frac{1}{2}\{e^x + e^{-x}\} + \frac{1}{2}\{e^x - e^{-x}\}. \tag{68}$$

Man schreibt abgekürzt

$$\frac{1}{2}\{e^x + e^{-x}\} = \operatorname{Cos} x \tag{69a}$$

$$\frac{1}{2}\{e^x - e^{-x}\} = \operatorname{Sin} x \tag{69b}$$

und nennt diese Ausdrücke *hyperbolischer Cosinus* oder *hyperbolischer Sinus*, oft auch geschrieben cosh oder sinh.

Bei Funktionen von mehreren Veränderlichen nennt man eine Funktion antisymmetrisch (antimetrisch), wenn gilt

$$f(x_1 x_2 \ldots x_i \ldots x_j \ldots x_M) = -f(x_1 x_2 \ldots x_j \ldots x_i \ldots x_M), \tag{70a}$$

also f sein Vorzeichen ändert, wenn zwei Koordinaten (Variable) vertauscht werden. Anderenfalls, wenn das Vorzeichen erhalten bleibt, liegt eine symmetrische Funktion vor

$$f(x_1 \ldots x_i \ldots x_j \ldots x_M) = f(x_1 \ldots x_j \ldots x_i \ldots x_M). \tag{70b}$$

Ein einfaches Beispiel ist

$$f(x_1 x_2) = (x_1 - x_2)^n, \tag{71}$$

wobei f für ungerade (gerade) n antisymmetrisch (symmetrisch) ist. Die Summe oder Differenz zweier symmetrischer (antisymmetrischer) Funktionen ist wieder symmetrisch (antisymmetrisch).

Ebenso wie bei Zahlenfolgen können *Funktionenfolgen*

$$f_1, f_2, f_3, \ldots \tag{72}$$

vorliegen, die unter Umständen zu einer *Grenzfunktion* konvergieren können.
Ein Beispiel ist

$$\lim_{n\to\infty} f_n(x) = f(x) \tag{73}$$

$$f_n(x) = \frac{nx^2}{1+nx} \qquad (n = 0, 1, \ldots) \tag{74}$$

mit

$$\lim_{n\to\infty} f_n(x) = x \tag{74a}$$

oder

$$f_n(x) = \frac{n^n}{(n+x)^n} \qquad (n = 1, 2, \ldots) \tag{75}$$

wobei, wegen (48b),

$$\lim_{n\to\infty} f_n(x) = e^{-x}. \tag{75a}$$

Die Folge

$$f_n(x) = x^n; \qquad (n = 0, 1, \ldots) \tag{76}$$

hat keine Grenzfunktion, n spielt hier die Rolle eines ganzzahligen Parameters. Die gleichen Überlegungen können auch bei Funktionen von mehreren Veränderlichen angestellt werden

$$f_{n_1 n_2 \ldots n_N}(x_1 x_2 \ldots x_M). \tag{77}$$

Zum Beispiel hat die Folge

$$f_{n_1 n_2}(x_1 x_2) = \frac{n_1 x_1}{1 + n_1(2 + x_1 x_2 n_2)} \qquad (n_1, n_2 = 0, 1, 2, \ldots) \tag{78}$$

die Grenzfunktion

$$\lim_{n_1\to\infty} f_{n_1 n_2}(x_1 x_2) = \frac{x_1}{2 + n_2 x_1 x_2}, \tag{78a}$$

wenn $n_1 \to \infty$ und n_2 endlich bleibt.

Eine Linearkombination von Potenzen nach (51a), wenn k ganzzahlig, ergibt die *ganzen rationalen Funktionen*

$$f(x) = a_0 + a_1 x + a_2 x^2 + \cdots + a_n x^n, \tag{79}$$

wobei die a_j ($j=0,\ldots,n$) beliebige Zahlen sein können. Mit Hilfe des *Summenzeichens* Σ kann man (79) abkürzen, indem man schreibt

$$f(x)=\sum_{j=0}^{j=n} a_j x^j = \sum_{j=0}^{n} a_j x^j. \tag{79a}$$

Den Quotient zweier ganzen rationalen Funktionen nennt man eine gebrochene *rationale Funktion.* Die Funktionen

$$\sin x,\ \arcsin x,\ \cos x,\ \arccos x,\ a^x,\ \lg x \quad \text{usw.} \tag{80}$$

bezeichnet man als *transzendente Funktionen*; sie sind nicht durch ganz rationale oder gebrochene rationale Funktionen ersetzbar (darstellbar). Auch die Funktionen

$$\operatorname{tg} x = \frac{\sin x}{\cos x}; \qquad \operatorname{ctg} = \frac{\cos x}{\sin x} \tag{81}$$

(Tangens und Cotangens) gehören zur Klasse der Funktionen in (80). Nach (60) und (61) ist

$$\operatorname{tg}\alpha = \frac{a}{b}, \qquad \operatorname{ctg}\alpha = \frac{b}{a} \tag{82}$$

also

$$\operatorname{tg}\alpha \operatorname{ctg}\alpha = 1. \tag{83}$$

Die Tangensfunktion ist somit die *reziproke Funktion* vom Cotangens und umgekehrt. Die inversen Funktionen von (81) sind dagegen

$$f(x) = \operatorname{arc\,tg} x \quad \text{und} \quad f(x) = \operatorname{arc\,ctg} x; \tag{84}$$

auch diese Funktionen sind transzendent.

Aufg. 1 Man löse die implizite Funktion $F(x_1 x_2 x_3) = x_1 + x_2 e^{-x_1} + \ln x_3^2 = 0$ nach x_3 auf.

Aufg. 2 Wie groß ist der Absolutbetrag der komplexen Zahl $z = 3 + 4i$?

b) Matrizen und Determinanten

Liegen n^2 *Elemente* (Zahlen oder Funktionen) a_{ij} vor, wobei $i=1,\ldots,n$ und $j=1,\ldots,n$ ist, so stellt eine *Matrix* $\mathfrak{A}$ die Anordnung aller dieser Elemente in folgender Form dar

$$\mathfrak{A} = \begin{bmatrix} a_{11} & a_{12} & \cdots & a_{1n} \\ a_{21} & a_{22} & \cdots & \vdots \\ \vdots & & & \vdots \\ a_{n1} & \cdots & \cdots & a_{nn} \end{bmatrix} \quad \text{oder} \quad \begin{pmatrix} a_{11} & a_{12} & \cdots & a_{1n} \\ a_{21} & a_{22} & \cdots & \vdots \\ \vdots & \vdots & & \vdots \\ a_{n1} & \cdots & \cdots & a_{nn} \end{pmatrix}. \tag{85}$$

Eine andere und davon verschiedene Anordnung nennt man *Determinante D*

$$D = \begin{vmatrix} a_{11} \dots a_{1n} \\ \vdots \quad\quad \vdots \\ a_{n1} \dots a_{nn} \end{vmatrix} . \tag{86}$$

α) *Matrizen*

Während D eine *Zahl* (im üblichen Sinne) darstellt, die sich durch eine bestimmte Rechenvorschrift aus den a_{ij} ergibt, sind die $\mathfrak{A}$ *Rechengrößen* (verallgemeinerter Zahlenbegriff), für die ebenfalls die Grundrechnungsarten (+, −, ×, :) gelten.
Für die *Addition* (*Subtraktion*) zweier Matrizen $\mathfrak{A}$ (s. (85)) und $\mathfrak{B}$

$$\mathfrak{B} = \begin{bmatrix} b_{11} \dots b_{1n} \\ \vdots \quad\quad \vdots \\ b_{n1} \dots b_{nn} \end{bmatrix} \tag{87}$$

gilt

$$\mathfrak{A} \pm \mathfrak{B} = \mathfrak{C} \tag{88}$$

mit

$$a_{ij} \pm b_{ij} = c_{ij}, \tag{88a}$$

wobei

$$\mathfrak{C} = \begin{bmatrix} c_{11} \dots c_{1n} \\ \vdots \quad\quad \vdots \\ c_{n1} \dots c_{nn} \end{bmatrix} . \tag{89}$$

Der Vorgang (88) (mit Pluszeichen) ist wegen (88a) vertauschbar. Es gilt also

$$\mathfrak{A} + \mathfrak{B} = \mathfrak{B} + \mathfrak{A} \qquad \textit{(kommutatives Gesetz)}. \tag{90}$$

Auch das sogenannte *assoziative Gesetz* ist erfüllt:

$$(\mathfrak{A} + \mathfrak{B}) + \mathfrak{C} = \mathfrak{A} + (\mathfrak{B} + \mathfrak{C}). \tag{91}$$

Wir wollen noch hinzufügen, daß zwei Matrizen gleich sind, wenn die entsprechenden Elemente gleich sind. Also

$$\mathfrak{A} \equiv \mathfrak{B}, \tag{92}$$

wenn

$$a_{ij} \equiv b_{ij}. \tag{92a}$$

In (85) bedeutet der erste Index in a_{ij} die Zeilennummer (Zeilenindex). Der zweite gibt die Nummer der Spalte an (Spaltenindex), wenn von der linken oberen Ecke aus gezählt wird. Wir wollen diese Absprache auch im Folgenden beibehalten.
Vertauschen wir in $\mathfrak{A}$ Zeilen und Spalten, so geht $\mathfrak{A}$ in eine andere Matrix $\bar{\mathfrak{A}}$ über, die wir die *transponierte Matrix* von $\mathfrak{A}$ nennen. Es ist damit

$$\bar{\mathfrak{A}} = \mathfrak{B}, \tag{93}$$

wobei

$$b_{ij} = a_{ji}. \tag{93a}$$

Eine symmetrische Matrix $\mathfrak{A}_s$ ist durch

$$a_{ij} = a_{ji} \tag{94}$$

definiert. *Eine symmetrische Matrix ist daher mit ihrer transponierten identisch*:

$$\bar{\mathfrak{A}}_s = \mathfrak{A}_s. \tag{95}$$

Gilt dagegen

$$a_{ij} = -a_{ji}, \tag{96}$$

so liegt eine *schiefsymmetrische Matrix* vor.

Die Folge der

$$a_{11}, a_{22}, a_{33}, \ldots, a_{nn} \tag{97}$$

nennen wir die *Diagonale einer Matrix*. Nach (96) muß die Diagonale einer schiefsymmetrischen Matrix eine Folge von Nullen sein. Eine *Nullmatrix* enthält als Elemente nur die Null. Bei einer Diagonalmatrix ist

$$a_{ij} = a_i \delta_{ij}, \tag{98}$$

wobei

$$\delta_{ij} = \begin{cases} 1 & \text{für } i = j \\ 0 & \text{für } i \neq j \end{cases} \quad \text{(Kroneckersches Symbol).} \tag{98a}$$

Beispiel:

$$\mathfrak{A} = \begin{bmatrix} a_1 & 0 & 0 & 0 \\ 0 & a_2 & 0 & 0 \\ 0 & 0 & a_3 & 0 \\ 0 & 0 & 0 & a_4 \end{bmatrix}. \tag{98b}$$

β) Matrizenmultiplikation

Die *Multiplikation* einer Matrix mit einer Zahl λ

$$\lambda \mathfrak{A} = \mathfrak{B}. \tag{99}$$

bedeutet, daß jedes a_{ij} von $\mathfrak{A}$ mit λ multipliziert wird:

$$b_{ij} = \lambda a_{ij}. \tag{99a}$$

Man bezeichnet Zahlen in diesem Zusammenhang oft als *Skalare* und nennt Zahlenbeziehungen (Zahlengleichungen), im Gegensatz zu Matrizengleichungen, *skalare Gleichungen.*

So ist z.B. (88) eine Matrizengleichung, die dazugehörigen skalaren Gleichungen stellt (88a) dar.

Wir sehen daraus, daß eine große Anzahl von skalaren Gleichungen (Zahlenbeziehungen) mit Hilfe der Matrizendarstellung durch *eine* Matrizengleichung zusammengefaßt werden können!

Die vier Gleichungen

$$\begin{array}{ll} 3+5=8 & 1+15=16 \\ 2+0=2 & 3+\ \ 1=\ \ 4 \end{array} \tag{100}$$

werden durch

$$\begin{pmatrix} 3 & 2 \\ 1 & 3 \end{pmatrix} + \begin{pmatrix} 5 & 0 \\ 15 & 1 \end{pmatrix} = \begin{pmatrix} 8 & 2 \\ 16 & 4 \end{pmatrix} \tag{100a}$$

zusammengefaßt. Die rechte Seite von (100a) ergibt sich wegen (99) (99a) weiter zu

$$\begin{pmatrix} 8 & 2 \\ 16 & 4 \end{pmatrix} = 2\begin{pmatrix} 4 & 1 \\ 8 & 2 \end{pmatrix} \tag{101}$$

oder

$$\mathfrak{A} = 2\,\mathfrak{B} \tag{102}$$

mit

$$\mathfrak{A} = \begin{pmatrix} 8 & 2 \\ 16 & 4 \end{pmatrix} \quad \text{und} \quad \mathfrak{B} = \begin{pmatrix} 4 & 1 \\ 8 & 2 \end{pmatrix}. \tag{102a}$$

Wie die Addition von Matrizen, oder die Multiplikation einer Matrix mit einem Skalar, wieder zu einer Matrix führt, so liefert die *Multiplikation zweier Matrizen* ebenfalls wieder eine Matrix

$$\mathfrak{A}\mathfrak{B} = \mathfrak{C}, \tag{103}$$

indem nach der Vorschrift

$$c_{ij} = \sum_{k=1}^{n} a_{ik} b_{kj} \tag{104}$$

vorgegangen wird. Die i-te Zeile von $\mathfrak{A}$ wird mit der j-ten Spalte von $\mathfrak{B}$ nach (104) zusammengefaßt (multipliziert). Als Beispiel wollen wir angeben

$$\begin{pmatrix} 1 & -1 \\ 3 & 5 \end{pmatrix}\begin{pmatrix} 1 & 2 \\ 0 & 2 \end{pmatrix} = \mathfrak{C} = \begin{pmatrix} c_{11} & c_{12} \\ c_{21} & c_{22} \end{pmatrix}, \tag{105}$$

indem

$$c_{11} = 1\cdot 1 - 1\cdot 0 = 1; \qquad c_{21} = 3\cdot 1 + 5\cdot 0 = 3;$$
$$c_{12} = 1\cdot 2 - 1\cdot 2 = 0; \qquad c_{22} = 3\cdot 2 + 5\cdot 2 = 16. \tag{105a}$$

Damit ergibt sich

$$\begin{pmatrix} 1 & -1 \\ 3 & 5 \end{pmatrix}\begin{pmatrix} 1 & 2 \\ 0 & 2 \end{pmatrix} = \begin{pmatrix} 1 & 0 \\ 3 & 16 \end{pmatrix}. \tag{105b}$$

In der Regel gilt bei der Matrizenmultiplikation *nicht das kommutative Gesetz*; wir haben also hier

$$\mathfrak{A}\mathfrak{B} \neq \mathfrak{B}\mathfrak{A}, \tag{106}$$

was wir schon aus (105) und (105b) bestätigen können:

$$\begin{pmatrix} 1 & 2 \\ 0 & 2 \end{pmatrix}\begin{pmatrix} 1 & -1 \\ 3 & 5 \end{pmatrix} = \begin{pmatrix} 7 & 9 \\ 6 & 10 \end{pmatrix}. \tag{107}$$

Dagegen gilt das *assoziative* Gesetz

$$(\mathfrak{A}\mathfrak{B})\,\mathfrak{C} \equiv \mathfrak{A}\,(\mathfrak{B}\mathfrak{C}) \tag{108}$$

und die Beziehung

$$\mathfrak{A}(\mathfrak{B} + \mathfrak{C}) = \mathfrak{A}\mathfrak{B} + \mathfrak{A}\mathfrak{C}, \tag{109}$$

die man das *distributive Gesetz* nennt.
Zu (106) ist noch festzustellen, daß in der Regel also $\mathfrak{C}$ in

$$\mathfrak{A}\mathfrak{B} - \mathfrak{B}\mathfrak{A} = \mathfrak{C} \tag{110}$$

keine Nullmatrix ist. Es ist üblich geworden, für die „Vertauschungsrelation" (110) das Symbol $[\mathfrak{A}\mathfrak{B}]$ (als Abkürzung) zu verwenden, wobei oft noch ein Skalar $\varkappa$ davorgeschrieben wird (damit verändert sich $\mathfrak{C}$):

$$\mathfrak{A}\mathfrak{B} - \mathfrak{B}\mathfrak{A} = [\mathfrak{A}\mathfrak{B}] = \varkappa\mathfrak{C}'. \tag{111}$$

Aus unserem obigen Beispiel (105) mit

$$\mathfrak{A} = \begin{pmatrix} 1 & -1 \\ 3 & 5 \end{pmatrix}; \qquad \mathfrak{B} = \begin{pmatrix} 1 & 2 \\ 0 & 2 \end{pmatrix} \tag{112}$$

erhalten wir (zusammen mit (107))

$$\mathfrak{A}\mathfrak{B} - \mathfrak{B}\mathfrak{A} = -\begin{pmatrix} 6 & 9 \\ 3 & -6 \end{pmatrix}, \tag{112a}$$

wobei hier $\varkappa = -1$ ist. Man beachte dabei (99) und (99a). Die skalaren Gleichungen (105a) werden wieder durch (105b) zusammengefaßt.
Als *Einheitsmatrix* $\mathfrak{E}$ bezeichnet man die Diagonalmatrix

$$\mathfrak{E} = \begin{pmatrix} 1 & 0 & \cdots & 0 \\ 0 & 1 & & \vdots \\ \vdots & & \ddots & \\ 0 & \cdots & \cdots & 1 \end{pmatrix}. \tag{113}$$

Mit ihr ist

$$\mathfrak{E}\mathfrak{A} = \mathfrak{A}, \tag{114}$$

so daß $\mathfrak{E}$ in den Matrizengleichungen die gleiche Rolle spielt, wie die „1“ in den Zahlengleichungen. Da

$$\mathfrak{E}\mathfrak{E} = \mathfrak{E} \qquad (\mathfrak{E}^n = \mathfrak{E}) \tag{115}$$

ist, so gilt auch

$$\mathfrak{E}^{-1} = \mathfrak{E} \qquad (\text{entspr. } 1^{-1} = 1). \tag{116}$$

Wegen (114) und (116) gilt noch

$$\mathfrak{E}\mathfrak{A} - \mathfrak{A}\mathfrak{E} = 0. \tag{117}$$

Jede Matrix ist mit $\mathfrak{E}$ vertauschbar!
Wir hatten bisher (vgl. (85)) *quadratische Matrizen* betrachtet!
Die Anzahl der Zeilen (oder Spalten) gibt dann die Ordnung der Matrix an. In Erweiterung definieren wir nun Matrizen mit n Zeilen und m Spalten:

$$\mathfrak{A} = \begin{pmatrix} a_{11} & a_{12} & \dots & a_{1m} \\ a_{21} & a_{22} & \dots & \vdots \\ \vdots & \vdots & & \vdots \\ a_{n1} & a_{n2} & \dots & a_{nm} \end{pmatrix}. \tag{118}$$

Solche Matrizen enthalten $m \cdot n$ Elemente (rechteckige Matrizen) und sind von der Ordnung (n, m). Zwei Matrizen von gleicher Ordnung nennen wir gleichartig.
Die Gleichheitsrelation (92) scheint vorerst nur für gleichartige Matrizen definiert zu sein, wir wollen diese jetzt erweitern, indem wir jede Matrix $\mathfrak{A}$ mit sich selbst gleichsetzen, wenn Zeilen oder Spalten mit Nullelementen hinzugefügt werden. Also zum Beispiel

$$\begin{pmatrix} a_{11} & a_{12} \\ a_{21} & a_{22} \\ a_{31} & a_{32} \end{pmatrix} \equiv \begin{pmatrix} a_{11} & a_{12} & 0 \\ a_{21} & a_{22} & 0 \\ a_{31} & a_{32} & 0 \end{pmatrix}, \tag{119a}$$

oder

$$\begin{pmatrix} b_{11} & b_{12} & b_{13} \\ b_{21} & b_{22} & b_{23} \end{pmatrix} \equiv \begin{pmatrix} b_{11} & b_{12} & b_{13} \\ b_{21} & b_{22} & b_{23} \\ 0 & 0 & 0 \end{pmatrix}. \tag{119b}$$

Matrizen, die nur aus einer Zeile (oder Spalte) bestehen, nennen wir Zeilen-(oder Spalten-)Matrizen (s. Vektorrechnung, Abschnitt c):

$$\mathfrak{A} = (a_{11}\, a_{12}\, a_{13}\, a_{14}\, a_{15}) \tag{120a}$$

$$\mathfrak{B} = \begin{pmatrix} b_{11} \\ b_{21} \\ b_{31} \\ b_{41} \\ b_{51} \end{pmatrix}. \tag{120b}$$

Diese können ebenfalls erweitert werden. Z. B.

$$\mathfrak{A} = \begin{pmatrix} a_{11} & a_{12} & a_{13} & a_{14} & a_{15} \\ 0 & 0 & 0 & 0 & 0 \\ 0 & 0 & 0 & 0 & 0 \\ 0 & 0 & 0 & 0 & 0 \\ 0 & 0 & 0 & 0 & 0 \end{pmatrix}. \tag{121}$$

Das Erweitern einer Matrix unter ausschließlicher Verwendung von Nullelementen, liefert keine weiteren wesentlichen skalaren Beziehungen. Ein Beispiel ist

$$\begin{pmatrix} 1 & 3 & 5 \\ 9 & 2 & 1 \\ 0 & 0 & 0 \end{pmatrix} + \begin{pmatrix} 5 & 5 & 2 \\ 1 & 1 & 1 \\ 0 & 0 & 0 \end{pmatrix} = \begin{pmatrix} 6 & 8 & 7 \\ 10 & 3 & 2 \\ 0 & 0 & 0 \end{pmatrix}, \tag{122}$$

in welchem neben den Relationen

$$\begin{aligned} 1 + 5 &= 6 & \qquad 9 + 1 &= 10 \\ 3 + 5 &= 8 & 2 + 1 &= 3 \\ 5 + 2 &= 7 & 1 + 1 &= 2, \end{aligned} \tag{122a}$$

durch die Erweiterung mit Nullelementen drei triviale Gleichungen der Form

$$0 + 0 = 0 \tag{122b}$$

hinzukommen.

Das Gleiche gilt auch bei der Multiplikation, wie man aus dem Beispiel

$$\begin{pmatrix} 2 & 1 \\ 0 & 0 \end{pmatrix} \begin{pmatrix} 3 & 0 \\ 4 & 0 \end{pmatrix} = \begin{pmatrix} 10 & 0 \\ 0 & 0 \end{pmatrix} \tag{123}$$

ersieht; man hätte ebensogut das Produkt

$$(2\ \ 1)\begin{pmatrix} 3 \\ 4 \end{pmatrix} = 10 \tag{123a}$$

beibehalten können. Ein anderes Beispiel ist

$$\begin{pmatrix} 2 \\ 1 \end{pmatrix} (3\ \ 4) = \begin{pmatrix} 6 & 8 \\ 3 & 4 \end{pmatrix}, \tag{124}$$

für das auch

$$\begin{pmatrix} 2 & 0 \\ 1 & 0 \end{pmatrix}\begin{pmatrix} 3 & 4 \\ 0 & 0 \end{pmatrix} = \begin{pmatrix} 6 & 8 \\ 3 & 4 \end{pmatrix} \tag{124a}$$

hätte geschrieben werden können. Mit den beiden Matrizen $\mathfrak{A}$ und $\mathfrak{B}$ in (120a) und (120b) haben wir allgemein

$$\mathfrak{A}\mathfrak{B} = \mathfrak{C} \equiv \begin{pmatrix} c_{11} & 0 & 0 & 0 & 0 \\ 0 & 0 & 0 & 0 & 0 \\ 0 & 0 & 0 & 0 & 0 \\ 0 & 0 & 0 & 0 & 0 \\ 0 & 0 & 0 & 0 & 0 \end{pmatrix} \tag{125}$$

mit

$$c_{11} = \sum_{k=1}^{5} a_{1k} b_{k1}, \tag{125a}$$

oder

$$\mathfrak{B}\mathfrak{A} = \mathfrak{D} = (d_{ij}), \tag{126}$$

mit

$$d_{ij} = b_{i1}\, a_{1j}\,. \tag{126a}$$

Zwei Matrizen $\mathfrak{C}$ und $\mathfrak{D}$ lassen sich nur dann miteinander multiplizieren ($\mathfrak{C}\mathfrak{D}$), wenn $\mathfrak{C}$ soviel Spalten hat, wie die Matrix $\mathfrak{D}$ Zeilen besitzt. Hat $\mathfrak{C}$ m Zeilen und n Spalten (Ordnung (m, n)) und besteht $\mathfrak{D}$ aus l Zeilen und k Spalten (Ordnung (l, k)), so muß $n = l$ sein. Die resultierende Matrix $\mathfrak{M}$

$$\mathfrak{C}\mathfrak{D} = \mathfrak{M} \tag{127}$$

hat dann die Ordnung (m, k). Abb. 12 gibt dies schematisch wieder;

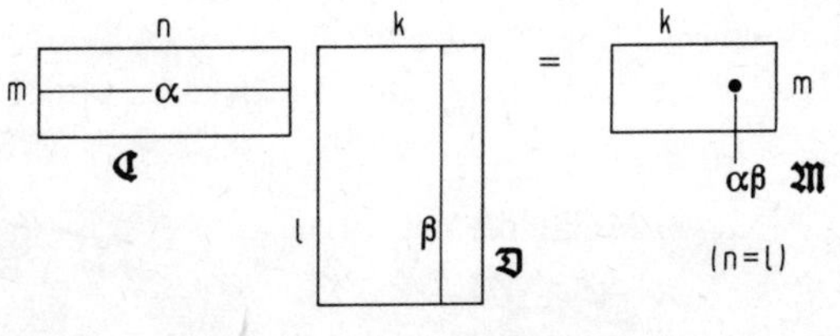

Abb. 12

Die beiden Striche α und β stellen die Zeile α in $\mathfrak{C}$ dar, die mit der Spalte β in $\mathfrak{D}$ multipliziert wird. Das Ergebnis steht als Element (als Punkt $\alpha\beta$ angedeutet) in $\mathfrak{M}$. In (125) sind $m = 1$, $n = 5$; $l = 5$; und $k = 1$. Für (126) erhalten wir $m = 5$; $n = 1$, $l = 1$, $k = 5$! Eine Zahl (Element) kann als Matrix mit der Ordnung (1, 1) aufgefaßt werden. In diesem Sinne stellen die Matrizen eine Erweiterung des Zahlenbegriffs dar!

γ) *Lineare Gleichungen*

Mit den Matrizen

$$\mathfrak{X} = \begin{bmatrix} x_1 \\ \vdots \\ x_n \end{bmatrix} \qquad \mathfrak{C} = \begin{bmatrix} c_1 \\ \vdots \\ c_n \end{bmatrix} \qquad \mathfrak{A} = \begin{bmatrix} a_{11} & \cdots & a_{1n} \\ \vdots & & \vdots \\ a_{n1} & \cdots & a_{nn} \end{bmatrix} \tag{128}$$

bilden wir

$$\mathfrak{A}\mathfrak{X} = \mathfrak{C}. \tag{129}$$

Diese Gleichung ist die Zusammenfassung von n Gleichungen mit n Unbekannten $x_j\,(j = 1, \ldots, n)$, denn (129) ausführlich geschrieben liefert

$$\begin{aligned} a_{11}\,x_1 + a_{12}\,x_2 + \cdots + a_{1n}\,x_n &= c_1 \\ a_{21}\,x_1 + a_{22}\,x_2 + \cdots + a_{2n}\,x_n &= c_2 \\ \vdots \qquad\qquad\qquad\quad \vdots \quad & \;\;\vdots \\ a_{n1}\,x_1 + a_{n2}\,x_2 + \cdots + a_{nn}\,x_n &= c_n\,. \end{aligned} \tag{129a}$$

Wir nennen dieses ein *lineares Gleichungssystem*, da die x_j nur mit der Potenz „1" (linear) vorkommen. Die a_{ij} sind bekannt, ebenso die c_j. Man nennt das Gleichungssystem *homogen*, falls alle Zahlen c_j verschwinden, dagegen wird (129a) als *inhomogen* bezeichnet, wenn mindestens eines der c_j von Null verschieden ist. Im ersten Falle ist $\mathfrak{C}$ eine Nullmatrix.

Die Lösung des linearen inhomogenen Gleichungssystem (129a) läßt sich nun nach (129) elegant hinschreiben. Multiplizieren wir (129) von links mit der reziproken Matrix von $\mathfrak{A}$, die wir entsprechend (116) mit $\mathfrak{A}^{-1}$ bezeichnen wollen, so ergibt sich wegen

$$\mathfrak{A}^{-1}\mathfrak{A} = \mathfrak{E} \tag{130}$$

und

$$\mathfrak{E}\mathfrak{X} = \mathfrak{X}, \tag{131}$$

das Resultat zu

$$\mathfrak{X} = \mathfrak{A}^{-1}\mathfrak{C}. \tag{132}$$

Wegen (130) muß $\mathfrak{A}^{-1}$ eine quadratische Matrix wie $\mathfrak{A}$ sein, so daß sich die Matrix der rechten Seite von (132) nach Abb. 12 zu einer Matrix ergibt, die nur aus einer Spalte besteht. Die Elemente dieser Matrix sind nach (132) die gesuchten Lösungen des inhomogenen Gleichungssystems!

δ) *Determinanten und Gleichungssysteme*

Um die reziproke Matrix von $\mathfrak{A}$ zu erhalten, ist nun einige Kenntnis über Determinanten (vgl. (86)) notwendig. Mit ihrer Hilfe läßt sich die Bildung von $\mathfrak{A}^{-1}$ übersichtlich durchführen.

Eine Vorschrift zur Berechnung von D nach (86) lautet:
Man streiche in D irgend *eine* Zeile (oder Spalte) und danach irgend *eine* Spalte (oder Zeile). Dann entsteht eine Determinante von der Ordnung $n-1$, die man, mit $(-1)^{k+l}$ multipliziert, die Unterdeterminante A_{kl} des Elements a_{kl} nennt, welches an der Stelle des Schnittpunktes der gestrichenen Zeile und Spalte steht (die k-te Zeile und die l-te Spalte). D nach (86) ergibt sich dann zu

$$D = a_{k1}A_{k1} + a_{k2}A_{k2} + \cdots + a_{kn}A_{kn} = \sum_{l=1}^{n} a_{kl}A_{kl}. \tag{133}$$

Der gleiche Vorgang ist dann danach wieder mit jeder Unterdeterminante vorzunehmen, bis schließlich Determinanten von zweiter Ordnung auftreten, die sich nach

$$\begin{vmatrix} a_{ij} & a_{st} \\ a_{kl} & a_{mn} \end{vmatrix} = a_{ij}a_{mn} - a_{st}a_{kl} \tag{134}$$

berechnen. D ergibt sich also schließlich als eine Zahl (Skalar)!
Beispiel:

$$\begin{vmatrix} 1 & 2 \\ 1 & 4 \end{vmatrix} = 1 \cdot 4 - 2 \cdot 1 = 2 \tag{135}$$

oder

$$\begin{vmatrix} 1 & 3 & 1 \\ 5 & 1 & 2 \\ 3 & 3 & 1 \end{vmatrix} = 1 \begin{vmatrix} 1 & 2 \\ 3 & 1 \end{vmatrix} - 3 \begin{vmatrix} 5 & 2 \\ 3 & 1 \end{vmatrix} + 1 \begin{vmatrix} 5 & 1 \\ 3 & 3 \end{vmatrix} = 1(1-6) - 3(5-6) + 1(15-3) = 10, \tag{136}$$

wenn nach (133) $k = 1$ ist. Man sagt: „D in (136) wurde nach der ersten Zeile entwickelt". Ebenso läßt sich die Entwicklung nach einer Spalte (l-te Spalte) vornehmen. In diesem Falle ist anstelle von (133) zu schreiben:

$$D = \sum_{k=1}^{n} a_{kl}A_{kl}. \tag{137}$$

Die Entwicklung von (136) nach der zweiten Spalte lautet

$$\begin{vmatrix} 1 & 3 & 1 \\ 5 & 1 & 2 \\ 3 & 3 & 1 \end{vmatrix} = -3 \begin{vmatrix} 5 & 2 \\ 3 & 1 \end{vmatrix} + 1 \begin{vmatrix} 1 & 1 \\ 3 & 1 \end{vmatrix} - 3 \begin{vmatrix} 1 & 1 \\ 5 & 2 \end{vmatrix} = -3(5-6) + 1(1-3) - 3(2-5) = 10. \tag{138}$$

Im Besonderen ist danach

$$\begin{vmatrix} a_{11} & & & 0 \\ & a_{22} & & \\ & & \ddots & \\ 0 & & & a_{nn} \end{vmatrix} = a_{11}a_{22}\ldots a_{nn}, \tag{139a}$$

oder

$$\begin{vmatrix} a_{11} & 0 & 0 \ldots 0 \\ 0 & a_{22} & a_{23} \ldots a_{2n} \\ \vdots & a_{32} & \\ \vdots & \vdots & \\ 0 & a_{n2} & \ldots\ldots\ldots a_{nn} \end{vmatrix} = a_{11} \begin{vmatrix} a_{22} \ldots a_{2n} \\ \vdots \quad\quad \vdots \\ a_{n2} \ldots a_{nn} \end{vmatrix}. \tag{139b}$$

Auf Grund dieser Rechenvorschrift lassen sich eine Reihe von Eigenschaften der Determinanten zusammenstellen:

α) Der Wert einer Determinante bleibt unverändert, wenn die Zeilen und Spalten vertauscht werden ($a_{kl} \rightarrow a_{lk}$).

Beispiel:

$$\begin{vmatrix} 1 & 2 & 1 \\ 3 & 3 & 4 \\ 1 & 0 & 5 \end{vmatrix} \equiv \begin{vmatrix} 1 & 3 & 1 \\ 2 & 3 & 0 \\ 1 & 4 & 5 \end{vmatrix}. \tag{140}$$

β) Vertauscht man zwei Zeilen (oder zwei Spalten) in einer Determinante, so ändert sich nur das Vorzeichen von D.

Beispiel:

$$\begin{vmatrix} 1 & 2 & 1 \\ 3 & 3 & 4 \\ 1 & 0 & 5 \end{vmatrix} \equiv - \begin{vmatrix} 2 & 1 & 1 \\ 3 & 3 & 4 \\ 0 & 1 & 5 \end{vmatrix} \equiv \begin{vmatrix} 3 & 3 & 4 \\ 2 & 1 & 1 \\ 0 & 1 & 5 \end{vmatrix} \equiv \cdots. \tag{141}$$

γ) Eine Determinante wird mit einer Zahl λ multipliziert, indem alle Elemente *einer* Zeile *oder einer* Spalte mit λ multipliziert werden.

Beispiel:

$$\lambda \begin{vmatrix} 1 & 2 & 1 \\ 3 & 3 & 4 \\ 1 & 0 & 5 \end{vmatrix} \equiv \begin{vmatrix} \lambda & 2\lambda & \lambda \\ 3 & 3 & 4 \\ 1 & 0 & 5 \end{vmatrix} \equiv \begin{vmatrix} 1 & 2\lambda & 1 \\ 3 & 3\lambda & 4 \\ 1 & 0 & 5 \end{vmatrix} \equiv \cdots. \tag{142}$$

δ) Der Wert einer Determinante bleibt unverändert, wenn man das Vielfache (μ-fache) einer Zeile (oder Spalte) zu einer anderen addiert (subtrahiert).

Beispiel:

$$\begin{vmatrix} 1 \pm 3\mu & 2 \pm 3\mu & 1 \pm 4\mu \\ 3 & 3 & 4 \\ 1 & 0 & 5 \end{vmatrix} \equiv \begin{vmatrix} 1 & 2 & 1 \\ 3 & 3 & 4 \\ 1 & 0 & 5 \end{vmatrix}. \tag{143}$$

Entwickelt man nach der ersten Zeile, so resultiert (wegen (γ))

$$\begin{vmatrix} 1 \pm 3\mu & 2 \pm 3\mu & 1 \pm 4\mu \\ 3 & 3 & 4 \\ 1 & 0 & 5 \end{vmatrix} = \begin{vmatrix} 1 & 2 & 1 \\ 3 & 3 & 4 \\ 1 & 0 & 5 \end{vmatrix} \pm \mu \begin{vmatrix} 3 & 3 & 4 \\ 3 & 3 & 4 \\ 1 & 0 & 5 \end{vmatrix} . \tag{144}$$

Vertauscht man die beiden ersten Zeilen der zweiten Determinante, so bleibt diese unverändert; wegen (β) muß diese daher Null sein.

Wir haben also weiter:

ε) Eine Determinante hat den Wert Null, wenn mindestens zwei Zeilen (oder Spalten) einander proportional sind (sich nur um einen Zahlenfaktor unterscheiden).

Beispiel:

$$\begin{vmatrix} 1 & 2 & 3 \\ 2 & 4 & 6 \\ 1 & 1 & 1 \end{vmatrix} \equiv 2 \begin{vmatrix} 1 & 2 & 3 \\ 1 & 2 & 3 \\ 1 & 1 & 1 \end{vmatrix} \equiv 0 \quad \text{(Proportionalitätsfaktor ist 2)} \tag{145}$$

(unter Benutzung von (γ) und (β), wenn die beiden ersten Zeilen vertauscht werden). Die in (144) verwendete Eigenschaft, daß $D = 0$ ist, wenn zwei Zeilen (Spalten) gleich sind, ist somit ein Spezialfall von (ε), indem der Proportionalitätsfaktor Eins ist. Eine andere Folgerung aus (ε) ist die Aussage:

ζ) Werden die Elemente einer Zeile (Spalte) mit den zu einer *anderen* Zeile (Spalte) gehörigen Unterdeterminanten multipliziert und dann die Produkte addiert, so ist die Summe gleich Null.

Also (Determinante n-ter Ordnung):

$$\sum_{l=1}^{n} a_{kl} A_{jl} = D\,\delta_{kj} \tag{146a}$$

oder

$$\sum_{k=1}^{n} a_{kl} A_{kj} = D\,\delta_{lj}. \tag{146b}$$

Man beachte dabei (98a) und die Tatsache, daß die Gleichungen (146a) und (146b) die Gleichungen (133) und (137) als Spezialfälle einschließen, wenn die beiden Indizes des δ gleich sind!

Beispiel für (146a) mit der Determinante (140), wenn $k = 2, j = 1$:

$$3 \begin{vmatrix} 3 & 4 \\ 0 & 5 \end{vmatrix} - 3 \begin{vmatrix} 3 & 4 \\ 1 & 5 \end{vmatrix} + 4 \begin{vmatrix} 3 & 3 \\ 1 & 0 \end{vmatrix} \equiv \begin{vmatrix} 3 & 3 & 4 \\ 3 & 3 & 4 \\ 1 & 0 & 5 \end{vmatrix} \equiv 0. \tag{147}$$

Mit Hilfe der Beziehung (146b) können nun die Elemente α_{ij} der Matrix $\mathfrak{A}^{-1}$ in (130) angegeben werden. Diese ergeben sich zu

$$\alpha_{ij} = \frac{A_{ji}}{D}, \tag{148}$$

wenn D nach (186) die Determinante der a_{ij} bedeutet. Ist $D \equiv 0$, so existiert keine reziproke Matrix von $\mathfrak{A}$. Man sagt: $\mathfrak{A}$ muß *regulär* sein, damit $\mathfrak{A}^{-1}$ gebildet werden kann! Die Gleichung (130) mit (148) und (113) schreibt sich *)

$$\frac{1}{D}\begin{bmatrix} A_{11} & A_{21} \ldots A_{n1} \\ A_{12} & \vdots \\ \vdots & \vdots \\ A_{1n} \ldots\ldots\ldots & A_{nn} \end{bmatrix}\begin{bmatrix} a_{11} & a_{12} \ldots a_{1n} \\ a_{21} & \vdots \\ \vdots & \vdots \\ a_{n1} \ldots\ldots\ldots & a_{nn} \end{bmatrix} = \begin{bmatrix} 1 & & & 0 \\ & 1 & & \\ & & \ddots 1 & \\ 0 & & & \ddots 1 \\ & & & & 1 \end{bmatrix}. \qquad (149)$$

Beim Ausmultiplizieren von $\mathfrak{A}^{-1}\,\mathfrak{A}$ beachte man (104)! Speziell ist

$$\begin{bmatrix} a_{11} & & & \\ & a_{22} & & 0 \\ & 0 & \ddots & \\ & & & a_{nn} \end{bmatrix}^{-1} = \begin{bmatrix} a_{11}^{-1} & & & \\ & a_{22}^{-1} & & 0 \\ & 0 & \ddots & \\ & & & a_{nn}^{-1} \end{bmatrix}, \qquad (150)$$

was z. B. aus (139a) zu ersehen ist. Dabei muß sein $a_{ii} \neq 0$ (Regularität). Die Lösungen $\mathfrak{x}$ des inhomogenen Gleichungssystem (129a) ergeben sich nach (132) zu

$$\begin{bmatrix} x_1 \\ \vdots \\ \vdots \\ x_n \end{bmatrix} = \frac{1}{D}\begin{bmatrix} A_{11} & A_{21} \ldots A_{n1} \\ A_{12} & \\ \vdots & \\ A_{n1} \ldots\ldots\ldots & A_{nn} \end{bmatrix}\begin{bmatrix} c_1 \\ \vdots \\ \vdots \\ c_n \end{bmatrix} \qquad (151)$$

oder, skalar geschrieben:

$$x_j = \frac{1}{D}\sum_{k=1}^{n} c_k A_{kj}. \qquad (151a)$$

Nach (137) stellt aber die Summe in (151a) die Determinante D dar, in welcher die j-te Spalte durch die c_k ($k = 1, \ldots, n$) ersetzt wurde ($a_{kj} \to c_k$).
Diese Determinante nennen wir D und haben somit

$$x_j = \frac{D_j}{D}. \qquad (151b)$$

Beispiel:
Das Gleichungssystem

$$\begin{aligned} 2x_1 + x_2 + 2x_3 &= 0 \\ x_1 + x_2 + x_3 &= 0 \\ x_1 - x_2 + 3x_3 &= 1 \end{aligned} \qquad (152)$$

*) Die Nullen in (149) und (150) bedeuten, daß alle übrigen Elemente (außerhalb der Diagonalen) Null sind.

hat die Determinante

$$D=\begin{vmatrix}2 & 1 & 2\\ 1 & 1 & 1\\ 1 & -1 & 3\end{vmatrix}\equiv\begin{vmatrix}1 & 0 & 1\\ 1 & 1 & 1\\ 1 & -1 & 3\end{vmatrix}\equiv\begin{vmatrix}0 & -1 & 0\\ 1 & 1 & 1\\ 1 & -1 & 3\end{vmatrix}\equiv 1\begin{vmatrix}1 & 1\\ 1 & 3\end{vmatrix}\equiv 2\,; \tag{153}$$

also ist $D \neq 0$, so daß (152) eine Lösung x_1, x_2, x_3 besitzt. (Wie man zeigen kann, besitzt jedes inhomogene lineare Gleichungssystem mit $D \neq 0$ eine einzige Lösung). Nach (151b) erhalten wir

$$x_1=\frac{1}{2}\begin{vmatrix}0 & 1 & 2\\ 0 & 1 & 1\\ 1 & -1 & 3\end{vmatrix}=-\frac{1}{2}$$

$$x_2=\frac{1}{2}\begin{vmatrix}2 & 0 & 2\\ 1 & 0 & 1\\ 1 & 1 & 3\end{vmatrix}=0 \tag{154}$$

$$x_3=\frac{1}{2}\begin{vmatrix}2 & 1 & 0\\ 1 & 1 & 0\\ 1 & -1 & 1\end{vmatrix}=+\frac{1}{2}\,,$$

was wir durch Einsetzen in (152) prüfen können. Die zweite Determinante in (154) verschwindet, da die erste Zeile das 2-fache der zweiten ist. –

Ein homogenes lineares Gleichungssystem kann nur eine Lösung haben, wenn die Determinante der Koeffizienten verschwindet (Null ist). Aus (151b) folgt nämlich

$$Dx_j = 0\,, \tag{155}$$

da $\mathfrak{C}$ in (128), (129a) und (129) eine Nullmatrix ist, und somit in D_j bestimmt eine Spalte (die j-te) aus Nullelementen besteht, sodaß die Determinante D_j verschwindet. Da man die sogenannte *triviale Lösung* $x_1 = x_2 = \ldots = x_n = 0$ in den homogenen Gleichungssystemen ausschließt, so muß mindestens ein $x_j \neq 0$ sein. *Dann aber muß* $D = 0$ *sein, damit (155) erfüllt bleibt!*

Hat man eine *nichttriviale Lösung* $x_1, x_2, \ldots, x_n$ gefunden, so ist auch $\mu x_1, \mu x_2, \ldots, \mu x_n$ eine Lösung $(\mu \neq 0, \mu \neq 1)$, da die homogenen Gleichungen durch Multiplikation mit μ nicht verändert werden. Es gibt also unendlich viele nichttriviale Lösungen, wenn ein homogenes Gleichungssystem vorliegt!

Wir setzen daher irgendein x_j gleich einer von Null verschiedenen Zahl, zum Beispiel $x_n = -1$. Damit gehen die *homogenen* Gleichungen in $n-1$ *inhomogene* Gleichungen für die Unbekannten $x_1, x_2, \ldots, x_{n-1}$ über, wenn wir die n-te Gleichung weglassen:

$$\begin{aligned} a_{11}x_1 \quad &+ a_{12}x_2 + \cdots + a_{1,n-1}x_{n-1} &= a_{1,n} \\ \vdots \quad & \qquad\qquad\qquad\qquad \vdots & \vdots \\ a_{n-1,1}x_1 + \cdots & \qquad\quad + a_{n-1,n-1}x_{n-1} &= a_{n-1,n}\,. \end{aligned} \tag{156}$$

Die Lösungen von (156), die wir in der oben beschriebenen Weise erhalten, erfüllen dann auch die n-te Gleichung (was wegen $D = 0$ bewiesen werden kann):

$$a_{n1}x_1 + a_{n2}x_2 + \cdots + a_{n,n-1}x_{n-1} = a_{nn}\,. \tag{156a}$$

Die Lösungen der homogenen Gleichungen ergeben sich danach zu:

$$x_1, x_2, \ldots, x_{n-1}, -1, \tag{156b}$$

wenn die x_1 bis x_{n-1} die Gleichungen (156) befriedigen. Die unendlich vielen Lösungen sind dann

$$\mu x_1, \mu x_2, \ldots, \mu x_{n-1}, -\mu. \tag{156c}$$

Ein Beispiel für $n = 3$ ist:

$$\begin{aligned} x_1 \qquad\; + \;\; x_3 &= 0 \\ 2x_1 + x_2 + 4x_3 &= 0 \\ -x_1 + x_2 + \;\; x_3 &= 0. \end{aligned} \tag{157}$$

Hier ist

$$D = \begin{vmatrix} 1 & 0 & 1 \\ 2 & 1 & 4 \\ -1 & 1 & 1 \end{vmatrix} \equiv 0. \tag{158}$$

Mit $x_3 = -1$ geht (157) über in

$$\begin{aligned} x_1 \qquad &= 1 \\ 2x_1 + x_2 &= 4 \\ -x_1 + x_2 &= 1. \end{aligned} \tag{159}$$

Die Lösungen sind $x_1 = 1$; $x_2 = 2$, also befriedigt

$$x_1 = \mu, \;\; x_2 = 2\mu, \;\; x_3 = -\mu \tag{160}$$

das homogene Gleichungssystem (157). Wäre $D \neq 0$ gewesen, wie z. B. in

$$\begin{aligned} x_1 + 5x_2 - \;\; x_3 &= 0 \\ x_1 + 6x_2 + \;\; x_3 &= 0 \\ -10x_1 + \;\; x_2 + 5x_3 &= 0, \end{aligned} \tag{161}$$

dann existiert nur die triviale Lösung

$$x_1 = x_2 = x_3 = 0. \tag{162}$$

Die linearen Gleichungen spielen in der Quantenchemie eine große Rolle!

ε) *Reelle und imaginäre Matrizen*

Sind die Elemente a_{ij} einer Matrix komplex, so liegt eine *komplexe Matrix* vor. Die konjugiert komplexe Matrix von $\mathfrak{A}$ wird mit $\mathfrak{A}^*$ bezeichnet. Es gilt

$$(\mathfrak{A}^{-1})^* \equiv (\mathfrak{A}^*)^{-1} \quad \text{und} \quad \mathfrak{A}^*\mathfrak{B}^* = (\mathfrak{A}\mathfrak{B})^*. \tag{163}$$

Ist $\mathfrak{A}$ eine Matrix mit reellen a_{ij}, so ist $\mathfrak{A}^* \equiv \mathfrak{A}$. Werden in einer Matrix $\mathfrak{A}$ die Zeilen und Spalten vertauscht und wird danach zur konjugiert komplexen Matrix übergegangen, so erhält man $\mathfrak{A}^+$ und nennt diese die *adjungierte Matrix* zu $\mathfrak{A}$. Es ist in der Regel

$$\mathfrak{A}^+\mathfrak{B}^+ \neq (\mathfrak{A}\mathfrak{B})^+. \tag{164}$$

Ist $\mathfrak{M}$ eine symmetrische Matrix, dann ist

$$\mathfrak{M}^+ \equiv \mathfrak{M}^*. \tag{165}$$

Wenn $\mathfrak{M}$ darüber hinaus noch reell ist, dann geht (165) über in

$$\mathfrak{M}^+ \equiv \mathfrak{M}, \tag{165a}$$

und man sagt: $\mathfrak{M}$ ist eine *hermitische (selbstadjungierte) Matrix*. Wenn $\mathfrak{M}^+$ mit der reziproken Matrix von $\mathfrak{M}$ identisch ist

$$\mathfrak{M}^+ \equiv \mathfrak{M}^{-1}, \tag{166}$$

nennt man $\mathfrak{M}$ eine *unitäre Matrix*; es gilt also dann

$$\mathfrak{M}^+\mathfrak{M} = \mathfrak{E}. \tag{166a}$$

Die Determinante der Elemente einer unitären Matrix hat den Wert +1 oder –1. Die Reziproke einer adjungierten Matrix $\mathfrak{A}^+$ nennt man die *kontragrediente Matrix* $\breve{\mathfrak{A}}$,

$$(\mathfrak{A}^+)^{-1} \equiv \breve{\mathfrak{A}}. \tag{167}$$

Für eine unitäre Matrix $\mathfrak{M}$ gilt daher wegen (166)

$$\breve{\mathfrak{M}} \equiv \mathfrak{M}. \tag{168}$$

ζ) *Permutationsoperatoren*

Die Berechnung von Determinanten kann noch auf andere Weise vorgenommen werden. Danach ist

$$D = \begin{vmatrix} a_{11} \dots a_{1n} \\ \vdots \qquad \vdots \\ a_{n1} \dots a_{nn} \end{vmatrix} = \sum_k (-1)^{P_k} P_k(a_{1\alpha_1} a_{2\alpha_2} a_{3\alpha_3} \dots a_{n\alpha_n}). \tag{169}$$

Die Vorschrift lautet im Einzelnen, daß in

$$P_k(a_{1\alpha_1} \ldots a_{n\alpha_n}) \tag{169a}$$

die Gesamtheit $(\alpha_1 \ldots \alpha_n)$ der zweiten Indizes aller a_{ij} (wobei die ersten Indizes die Reihenfolge $1 \ldots n$ beibehalten) einer Permutation unterzogen werden sollen. Diese Permutationsvorschrift wird durch das Symbol P_k dargestellt, welches als *Permutationsoperator* bezeichnet wird. Da es im ganzen $n! = 1 \cdot 2 \cdot 3 \cdot 4 \ldots n$ Permutationsmöglichkeiten von n Zahlen gibt, so werden die Permutationsoperatoren P_k durch den Index k numeriert. Eine der $n!$ Permutationen besteht in der sogenannten „Identität" P_1, bei der die n Zahlen nicht permutiert werden.

Bei zwei Zahlen a und b existieren $1 \cdot 2 = 2$ Permutationen (einschließlich P_1)

$$\begin{aligned} P_1 ab &= ab \quad \text{oder} \quad P_1(1,2) = (1,2) \\ P_2 ab &= ba \quad \phantom{\text{oder}} \quad P_2(1,2) = (2,1). \end{aligned} \tag{169b}$$

Bei drei Zahlen a, b, c erhält man $(n! = 6)$

$$\begin{aligned} P_1\, abc &= abc \quad \text{oder} \quad P_1(1,2,3) = (1,2,3) \\ P_2\, abc &= bac \quad \phantom{\text{oder}} \quad P_2(1,2,3) = (2,1,3) \\ P_3\, abc &= acb \quad \phantom{\text{oder}} \quad P_3(1,2,3) = (1,3,2) \\ P_4\, abc &= cba \quad \phantom{\text{oder}} \quad P_4(1,2,3) = (3,2,1) \\ P_5\, abc &= cab \quad \phantom{\text{oder}} \quad P_5(1,2,3) = (3,1,2) \\ P_6\, abc &= bca \quad \phantom{\text{oder}} \quad P_6(1,2,3) = (2,3,1). \end{aligned} \tag{169c}$$

Alles weitere Permutieren in (169c) führt wieder auf schon vorhandene Anordnungen der drei Zahlen bzw. von a, b und c. Bei vier Zahlen existieren schon $4! = 1 \cdot 2 \cdot 3 \cdot 4 = 24$ verschiedene Reihenfolgen (Anordnungen).

Die Permutationen P_2, P_3 und P_4 vertauschen je zwei Zahlen. Einen solchen Vorgang nennt man auch eine *Transposition* T. Bedeutet T_{ab} zum Beispiel, daß a und b vertauscht werden sollen, so haben wir allgemein

$$\begin{aligned} P_2 &= T_{ab} \\ P_3 &= T_{bc} \\ P_4 &= T_{ac}. \end{aligned} \tag{170}$$

Die Permutationen P_5 und P_6 können dagegen als zweifache Anwendungen von Transpositionen *(Transpositionsoperatoren)* verstanden werden

$$\begin{aligned} P_5 &= T_{ab}\, T_{ac} = T_{bc}\, T_{ab} \\ P_6 &= T_{ac}\, T_{ab} = T_{bc}\, T_{ac}, \end{aligned} \tag{170a}$$

wobei die Reihenfolge der Anwendungen der Transpositionen wesentlich ist. Eine Permutation, die aus einer geraden (ungeraden) Anzahl von Transpositionen besteht (ersetzt werden kann), nennt man eine gerade (ungerade) Permutation. In (169) gilt daher

$$(-1)^{P_k} = \begin{cases} 1 & \text{bei gerader Permutation } P_k \\ -1 & \text{bei ungerader Permutation } P_k. \end{cases} \tag{171}$$

Für P_1 gilt $(-1)^{P_1} = 1$, da in diesem Falle sozusagen keine (Null) Transpositionen vorliegen. Für $n = 3$ folgt aus (169) unter Verwendung von (169c):

$$\begin{vmatrix} a_{11} & a_{12} & a_{13} \\ a_{21} & a_{22} & a_{23} \\ a_{31} & a_{32} & a_{33} \end{vmatrix} = a_{11}a_{22}a_{33} - a_{12}a_{21}a_{33} - a_{11}a_{23}a_{32} - a_{13}a_{22}a_{31} + a_{13}a_{21}a_{32} + a_{12}a_{23}a_{31}. \tag{172}$$

Die Weiterrechnung in (133), wenn die Unterdeterminanten A_{kl} weiter zerlegt werden, führt ebenfalls auf (169). Damit lassen sich auch aus (169) alle Eigenschaften der Determinanten herleiten.

Aufg. 3 Man berechne $\mathfrak{A}\mathfrak{B} = \mathfrak{C}$ und $\mathfrak{B}\mathfrak{A} = \mathfrak{C}'$, wenn

$$\mathfrak{A} = \begin{pmatrix} 1 & 2 & 1 \\ 2 & 1 & 0 \\ 1 & 0 & 1 \end{pmatrix} \qquad \mathfrak{B} = \begin{pmatrix} 2 & 0 & 3 \\ 0 & 1 & 1 \\ 3 & 1 & 2 \end{pmatrix}.$$

und bestimme den Wert der Determinante von $\mathfrak{C}' - \mathfrak{C} = \mathfrak{D}$

Aufg. 4 Wie sieht die reziproke Matrix von $\mathfrak{A}$ aus, wenn

$$\mathfrak{A} = \begin{pmatrix} 1 & 2 & 0 \\ 2 & 1 & 1 \\ 0 & 1 & 1 \end{pmatrix}?$$

c) Vektorenrechnung und Koordinatensysteme

Ganz allgemein stellt ein *Vektor* $\mathfrak{v}$ die Zusammenfassung von n Zahlen (Skalare) $v_1, v_2, \ldots, v_n$ dar:

$$\mathfrak{v} = (v_1, v_2, \ldots, v_n). \tag{173}$$

Man nennt die v_j $(j = 1, \ldots, n)$ die *Komponenten* des Vektors. Der *absolute Betrag* von $\mathfrak{v}$ ist nach

$$|\mathfrak{v}| = \left| \sqrt{v_1^2 + v_2^2 + \cdots + v_n^2} \right| \tag{173a}$$

gegeben. Für Vektoren gelten ebenfalls Rechenregeln.

α) Vektorrechnung und Vektoreigenschaften

Die Addiion (Subtraktion) zweier Vektoren ist wieder ein Vektor, indem

$$\mathfrak{v} \pm \mathfrak{w} = \mathfrak{u} \tag{174}$$

mit

$$\mathfrak{w} = (w_1, \ldots, w_n) \tag{174a}$$

und

$$\mathfrak{u} = (v_1 \pm w_1, v_2 \pm w_2, \ldots, v_n \pm w_n). \tag{174b}$$

Bei der Addition (Subtraktion) von Vektoren werden deren Komponenten addiert (subtrahiert). Wird ein Vektor mit einer Zahl multipliziert, so werden alle Komponenten des Vektors mit dieser Zahl multipliziert.
D. h. es ist

$$\lambda \mathfrak{v} = \mathfrak{w}, \tag{175}$$

wobei

$$\mathfrak{w} = (\lambda v_1, \lambda v_2, .., \lambda v_n). \tag{175a}$$

Zwei Vektoren werden miteinander multipliziert, indem jeweils die entsprechenden Komponenten miteinander multipliziert und die so entstandenen Produkte addiert werden. Es gilt also

$$(\mathfrak{v}\mathfrak{w}) = a \tag{176}$$

mit

$$a = \sum_{i=1}^{n} v_i w_i. \tag{176a}$$

Das Produkt zweier Vektoren nach (176) und (176a) ist ein Skalar! Wir nennen daher (176) das *skalare* (auch innere) *Produkt* zweier Vektoren zum Unterschied zu einer anderen Multiplikationsvorschrift, bei der ein Vektor resultiert.
Vektoren mit drei Komponenten ($n = 3$) und deren Verknüpfungen lassen eine anschauliche Interpretation zu. Danach ist ein Vektor eine Größe, welche durch eine (nicht negative) *Zahl* (absoluter Betrag) *und* durch eine *Richtung* bestimmt ist. In Erweiterung der Abb. 1 und der Darstellung in Abb. 5 können jedem Punkt im Raum eindeutig drei Zahlenwerte zugeordnet werden, die den Projektionen des Abstandes dieses Punktes von einem Koordinaten-Ursprung auf die Koordinatenachsen entsprechen (Abb. 13):

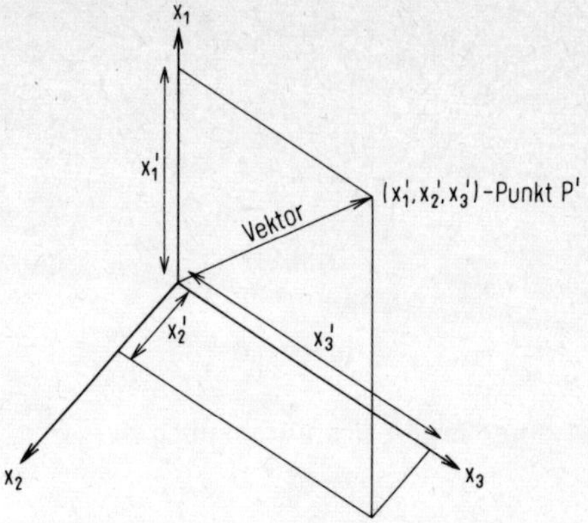

Abb. 13

Geometrisch läßt sich daher ein Vektor, der die Komponenten (x'_1, x'_2, x'_3) besitzt, als ein Pfeil vom Koordinatenursprung zum Punkt P darstellen, dessen Länge gleich dem absoluten Betrag des Vektors entspricht und dessen Richtung mit der Richtung des Vektors übereinstimmt.
Man nennt

$$\mathfrak{v} = (0, 0, 0) \tag{177}$$

einen Nullvektor, da auch $|\mathfrak{v}| \equiv 0$. $-\mathfrak{v}$ ist ein Vektor, der den gleichen absoluten Betrag wie besitzt, aber entgegengesetzte Richtung hat. *Zwei Vektoren sind gleich, wenn sie in Richtung und Betrag* (absoluter Betrag) *übereinstimmen.* Danach ändert sich ein Vektor nicht, wenn er in seiner Richtung oder parallel dazu verschoben wird (sogenannter freier Vektor im Gegensatz zu gebundenen Vektoren, die alle den gleichen Anfangspunkt besitzen).
Das Additionsgesetz nach (174) läßt sich im Fall $n = 3$ (dreidimensionaler Raum nach Abb. 13) graphisch wie folgt darstellen,

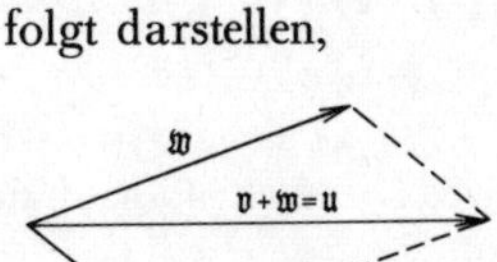

Abb. 14

wobei die gestrichelten Strecken ebenfalls $\mathfrak{v}$ bzw. $\mathfrak{w}$ darstellen (freie Vektoren). Abb. 14 ist als das „Parallelogramm der Kräfte“ bekannt, denn nach diesem Schema addieren sich zum Beispiel Kräfte, Geschwindigkeiten oder Beschleunigungen. Alle diese Größen können nämlich vollständig nur durch Vektoren (Betrag und Richtung) beschrieben werden. Für (175) erhalten wir, wieder für $n = 3$, die geometrische Darstellung:

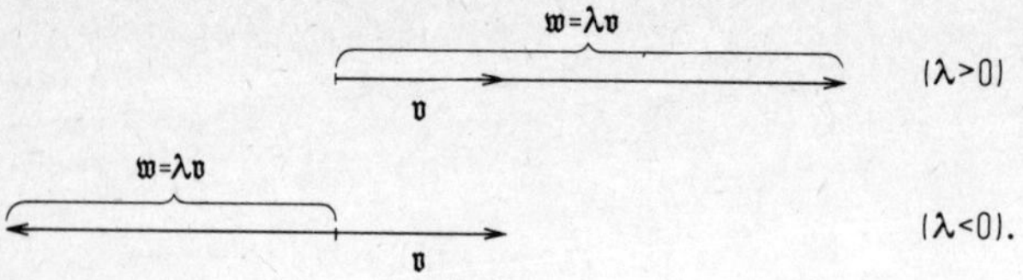

Abb. 15

Der Nullvektor

$$\mathfrak{v}-\mathfrak{v}=0 \tag{178}$$

entspricht einem Punkt P und ergibt sich anschaulich zu

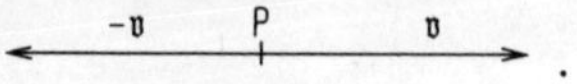

Abb. 16

Auch für $\lambda = 0$ in (175) resultiert ein Nullvektor.
Aus Abb. 13 ersieht man nun, daß sich der Vektor $\mathfrak{r}' = (x_1', x_2', x_3')$ nach Abb. 14 als Summe von drei Vektoren $(x_1', 0, 0)$; $(0, x_2', 0)$ und $(0, 0, x_3')$ darstellen läßt, was auch aus (174) folgt:

$$\mathfrak{r}' = (x_1', 0, 0) + (0, x_2', 0) + (0, 0, x_3'). \tag{179a}$$

Diese drei Vektoren liegen jeweils in einer Achsenrichtung. Führt man sogenannte *Einheitsvektoren*

$$\begin{aligned} \mathfrak{e}_1 &= (1, 0, 0) \\ \mathfrak{e}_2 &= (0, 1, 0) \\ \mathfrak{e}_3 &= (0, 0, 1) \end{aligned} \tag{179b}$$

ein, die die Absolutwerte 1 besitzen und ebenfalls in den jeweiligen Achsenrichtungen liegen, so erhält $\mathfrak{r}'$ die Form

$$\mathfrak{r}' = x_1' \mathfrak{e}_1 + x_2' \mathfrak{e}_2 + x_3' \mathfrak{e}_3. \tag{180}$$

Auf diese Weise läßt sich *jeder* Vektor $\mathfrak{r} = (x_1, x_2, x_3)$ darstellen:

$$\mathfrak{r} = x_1 \mathfrak{e}_1 + x_2 \mathfrak{e}_2 + x_3 \mathfrak{e}_3. \tag{181}$$

Nach (176) (176a) gilt für die Einheitsvektoren

$$(\mathfrak{e}_1 \mathfrak{e}_2) = 0; \quad (\mathfrak{e}_1 \mathfrak{e}_3) = 0; \quad (\mathfrak{e}_2 \mathfrak{e}_3) = 0. \tag{182}$$

Diese stellen also *orthogonale Vektoren* dar; da sie Einheitsvektoren sind, gilt darüberhinaus

$$(\mathfrak{e}_i \mathfrak{e}_j) = \delta_{ij}. \tag{183}$$

Die Einheitsvektoren nach (179) stellen somit ein *orthonormiertes System von Vektoren* dar (auf Eins normiert). Mit Hilfe von (181) erhält man leicht

$$\begin{aligned} (\mathfrak{r}\mathfrak{r}) &= x_1^2 + x_2^2 + x_3^2 \qquad (\mathfrak{r}\mathfrak{r}') = x_1 x_1' + x_2 x_2' + x_3 x_3' \\ \mathfrak{r} + \mathfrak{r}' &= (x_1 + x_1')\,\mathfrak{e}_1 + (x_2 + x_2')\,\mathfrak{e}_2 + (x_3 + x_3')\,\mathfrak{e}_3, \end{aligned} \tag{184}$$

was mit (173a), (174b) und (176a) übereinstimmt, wenn $n = 3$.
Die Multiplikation zweier Vektoren kann auch in der Form

$$(\mathfrak{v}\,\mathfrak{w}) = |\mathfrak{v}|\,|\mathfrak{w}| \cos \Phi = a \tag{185}$$

geschrieben werden, wenn Φ den Winkel bedeutet, den die beiden Vektoren einschließen. Da $|\mathfrak{v}| \cos \Phi$ oder $|\mathfrak{w}| \cos \Phi$ die Projektion des jeweiligen Vektors auf den anderen darstellt, so kann das skalare Produkt geometrisch wie in Abb. 17 interpretiert werden.

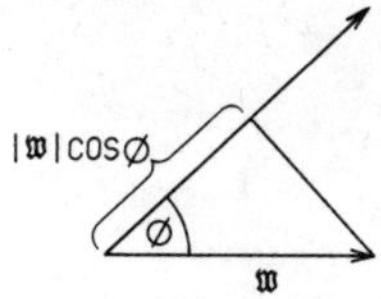

Abb. 17

Ist $\Phi = 90°$, so stehen die beiden Vektoren senkrecht aufeinander und a in (185) verschwindet (orthogonale Vektoren, vgl. (182)). Für $\Phi = 0$ liegen beide Vektoren in der gleichen Richtung, es ist dann

$$(\mathfrak{v}\,\mathfrak{w}) = |\mathfrak{v}|\,|\mathfrak{w}|; \qquad (\Phi = 0). \tag{185a}$$

β) *Koordinatensysteme*

Wie wir gesehen haben, ist ein Vektor mit einem Punkt äquivalent, doch nicht identisch. In Abb. 13 hatten wir ein *rechtwinkliges* Koordinatensystem benutzt, um die Punkte P durch Angabe von drei Werten x_1, x_2 und x_3 zu fixieren. In der Regel wird dieses System als *kartesisches Koordinatensystem* bezeichnet, wobei $x_1 = z$, $x_2 = x$ und $x_3 = y$ (Abb. 18).

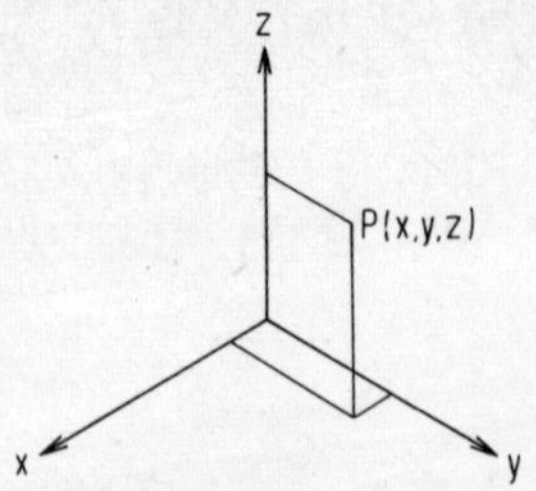

Abb. 18

Die Kordinatenflächen

$$\begin{aligned} x &= \text{const.} \\ y &= \text{const.} \\ z &= \text{const.} \end{aligned} \tag{186}$$

sind Ebenen, parallel zur *yz*-, *zx*- oder *xy*-Ebene!
Bei Verwendung eines *Zylinderkoordinatensystems* treten an Stelle der *x*-, *y*- und *z*-Werte, die einen Punkt charakterisieren, die Koordinaten ϱ, φ und z, die in Abb. 19 geometrisch angegeben sind.

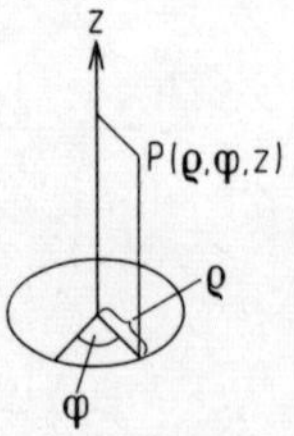

Abb. 19

Die Koordinatenflächen

$$\begin{aligned} \varrho &= \text{const.} \\ \varphi &= \text{const.} \\ z &= \text{const.} \end{aligned} \tag{186a}$$

sind Kreiszylinder um die *z*-Achse, Ebenen durch die *z*-Achse, oder Ebenen senkrecht zur *z*-Achse.

Der Zusammenhang zwischen kartesischen und Zylinderkoordinaten ist nach (187)

$$\begin{aligned} x &= \varrho \cos \varphi \\ y &= \varrho \sin \varphi \\ z &= z \end{aligned} \qquad (187)$$

gegeben. Auflösung nach ϱ, φ und z liefert aus (187)

$$\begin{aligned} \varrho &= \sqrt{x^2 + y^2} \\ \varphi &= \operatorname{arc\,tg} \frac{y}{x} \\ z &= z. \end{aligned} \qquad (187a)$$

Die z-Achse ist beiden Koordinatensystemen gemeinsam. Die Fläche $\varphi = 0$ ist die xz-Ebene im kartesischen Koordinatensystem.

Der Punkt (1, 1, 1) in kartesischen Koordinaten hat in Zylinderkoordinaten nach (187a) die drei Komponenten ($\sqrt{2}$, arctg 1, 1). Die Fläche einer Kugel mit dem Radius a, hat in kartesischen Koordinaten die Funktion

$$\sqrt{x^2 + y^2 + z^2} = a. \qquad (188)$$

Nach (187) nimmt diese Funktion in Zylinderkordinaten die Form an

$$\sqrt{\varrho^2 + z^2} = a \qquad (188a)$$

(Nach Abb. 7 und (60) (61) gilt $\cos^2\varphi + \sin^2\varphi = 1$). Allgemein geht

$$F(x, y) = 0 \qquad (189)$$

in

$$F(\varrho \cos \varphi, \varrho \sin \varphi, z) = 0 \qquad (189a)$$

über. Manche funktionellen Zusammenhänge können in bestimmten Koordinatensystemen eine sehr einfache geometrische oder analytische Form annehmen, die das Rechnen mit ihnen sehr erleichtert.

Als *Kugelkoordinaten* r, ϑ, φ bezeichnen wir die in Abb. 20 dargestellten Koordinaten.

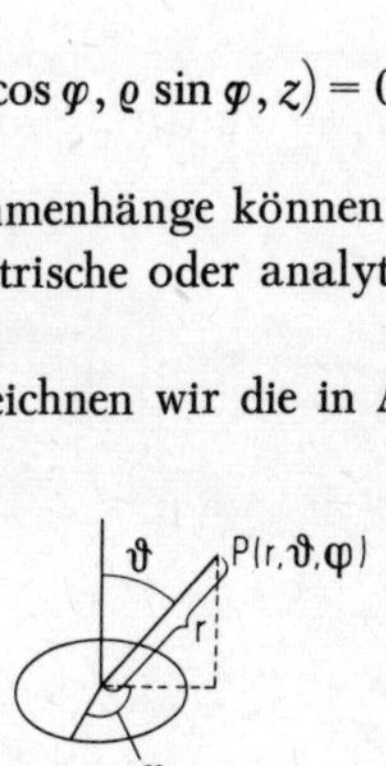

Abb. 20

Sie hängen mit x, y und z wie folgt zusammen

$$\begin{aligned} x &= r \sin\vartheta \cos\varphi \\ y &= r \sin\vartheta \sin\varphi \\ z &= r \cos\vartheta. \end{aligned} \tag{190}$$

Die Umkehrfunktionen (Inversen) lauten

$$\begin{aligned} r &= \sqrt{x^2+y^2+z^2} \\ \vartheta &= \arc\cos \frac{z}{\sqrt{x^2+y^2}} \\ \varphi &= \operatorname{arc\,tg} \frac{y}{x}. \end{aligned} \tag{190a}$$

Die Koordinatenflächen $r =$ const. stellen konzentrische Kugeln um den Nullpunkt dar. $\vartheta =$ const. bedeuten Kegel um die z-Achse mit dem Scheitel im Nullpunkt. Schließlich stellen die Flächen $\varphi =$ const. Meridian-Ebenen durch die z-Achse dar. Die Funktion (188) schreibt sich hiermit einfach

$$a = r. \tag{191}$$

Während bei den kartesischen Koordinaten alle Punkte des dreidimensionalen Raumes durch die Bereiche

$$-\infty < x < +\infty; \quad -\infty < y < +\infty; \quad -\infty < z < +\infty \tag{192}$$

erfaßt werden, ergeben sich diese in den Zylinder-Koordinaten zu

$$0 \leq \varrho < +\infty; \quad 0 \leq \varphi \leq 2\pi; \quad -\infty < z < +\infty. \tag{193}$$

Für die Kugelkoordinaten gilt dagegen

$$0 \leq r < +\infty; \quad 0 \leq \vartheta \leq +\pi; \quad 0 \leq \varphi \leq 2\pi. \tag{194}$$

Die bisherigen Koordinatensysteme waren sogenannte Einzentrumssysteme, in denen alle Punkte auf *einen* bestimmten Punkt (Koordinatenursprung) bezogen waren.

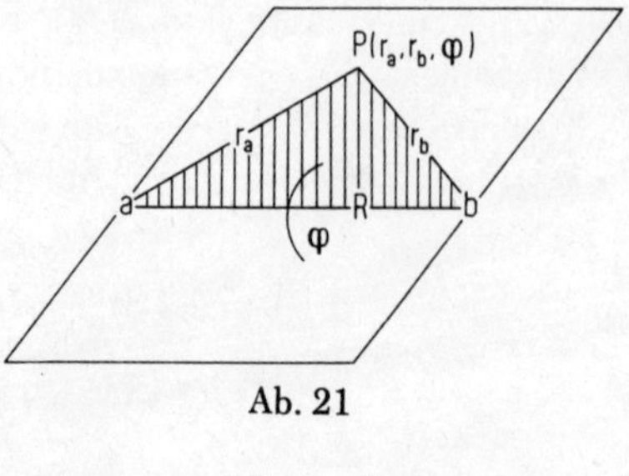

Ab. 21

Führen wir zwei Bezugspunkte a und b ein, die den Abstand R voneinander haben, so können wir jeden Punkt im Raum durch die Angabe der Abstände r_a und r_b zu den

beiden Zentren und durch den Winkel, den das dadurch mit R entstandene Dreieck mit einer festen Fläche durch R bildet, festlegen (Abb. 21)
Es handelt sich hier um *Zweizentrenkoordinaten.* Die Transformation nach

$$\mu = \frac{1}{R}(r_a + r_b) \qquad r_a = \frac{R}{2}(\mu + \nu)$$

$$\nu = \frac{1}{R}(r_a - r_b) \qquad r_b = \frac{R}{2}(\mu - \nu) \tag{195}$$

$$\varphi = \varphi$$

liefert dann die elliptischen Koordinaten μ, ν und φ. Hier gilt als Bereichsangabe

$$+1 \leq \mu < +\infty; \quad -1 \leq \nu \leq +1; \quad 0 \leq \varphi \leq 2\pi. \tag{196}$$

μ = const. stellen Ellipsoide um a und b dar, die ja durch

$$r_a + r_b = \text{const.} \tag{196a}$$

gegeben sind. Entsprechend ergeben sich im Falle ν = const. konfokale Hyperboloide um a bzw. b (Abb. 22).

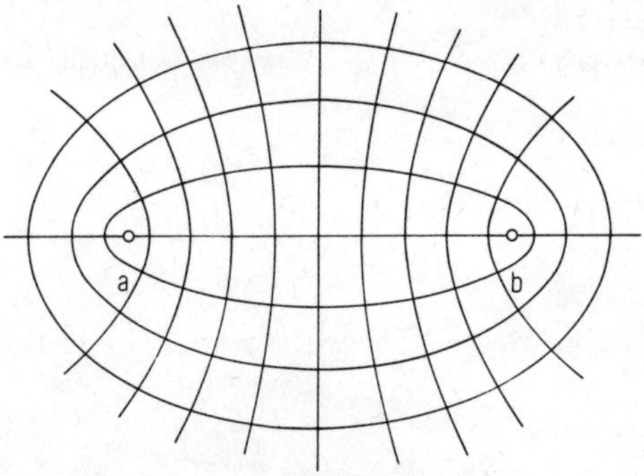

Abb. 22

$\nu = 0$ bedeutet $r_a = r_b$ und stellt die Streckenhalbierende von R dar. $\mu = 1$ verlangt nach (195) $r_a + r_b = R$ und bedeutet die Strecke zwischen a und b. Die Verlängerung dieser Strecke (Geraden) über a bzw. b hinaus, wird durch $\nu = -1$ und $\nu = +1$ erfaßt. φ = const. bedeuten schließlich Flächen durch R. Alle Flächen schneiden sich senkrecht *(orthogonales Koordinatensystem)*. Dies gilt auch für kartesischen – Zylinder – und Kugelkoordinaten.

Es gibt auch *schiefwinkelige Koordinatensysteme.* Auch in ihnen werden die Projektionen eines Punktes parallel zu den Achsen vorgenommen (Abb. 23)

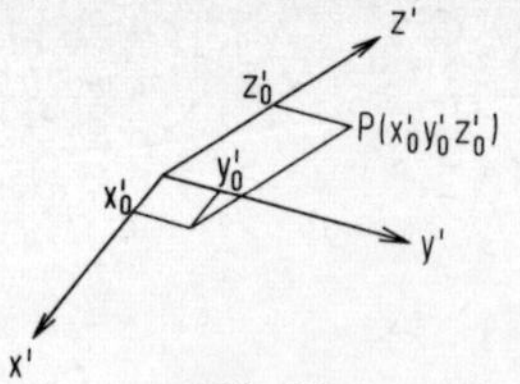

Abb. 23

γ) *Transformationen*

Allgemein kann man die Transformationengleichungen von einem Koordinatensystem (α, β, γ) in ein anderes (α', β', γ') durch Funktionen darstellen

$$\begin{aligned} \alpha &= f_1(\alpha', \beta', \gamma') \\ \beta &= f_2(\alpha', \beta', \gamma') \\ \gamma &= f_3(\alpha', \beta', \gamma'). \end{aligned} \tag{197}$$

Die inversen Funktionen ergeben sich dann zu

$$\begin{aligned} \alpha' &= f_1'(\alpha, \beta, \gamma) \\ \beta' &= f_2'(\alpha, \beta, \gamma) \\ \gamma' &= f_3'(\alpha, \beta, \gamma). \end{aligned} \tag{197a}$$

Gleichfalls liegt ein zweites System ($\alpha'', \beta'', \gamma''$) vor, das nach (198) mit (α', β', γ') zusammenhängt

$$\begin{aligned} \alpha'' &= g_1(\alpha', \beta', \gamma') \\ \beta'' &= g_2(\alpha', \beta', \gamma') \\ \gamma'' &= g_3(\alpha', \beta', \gamma'), \end{aligned} \tag{198}$$

wobei wiederum die Umkehrungen (Inversen) existieren sollen

$$\begin{aligned} \alpha' &= g_1'(\alpha'', \beta'', \gamma'') \\ \beta' &= g_2'(\alpha'', \beta'', \gamma'') \\ \gamma' &= g_3'(\alpha'', \beta'', \gamma''). \end{aligned} \tag{198a}$$

Der Übergang von ($\alpha'', \beta'', \gamma''$) zu ($\alpha, \beta, \gamma$) wird dann erhalten, wenn die Funktionen g_1', g_2', g_3' in (197) eingesetzt werden

$$\begin{aligned} \alpha &= f_1(g_1'(\alpha'', \beta'', \gamma''), g_2'(\alpha'', \beta'', \gamma''), g_3'(\alpha'', \beta'', \gamma'')) = \bar{f}_1(\alpha'', \beta'', \gamma'') \\ \beta &= f_2(g_1'(\alpha'', \beta'', \gamma''), g_2'(\alpha'', \beta'', \gamma''), g_3'(\alpha'', \beta'', \gamma'')) = \bar{f}_2(\alpha'', \beta'', \gamma'') \\ \gamma &= f_3(g_1'(\alpha'', \beta'', \gamma''), g_2'(\alpha'', \beta'', \gamma''), g_3'(\alpha'', \beta'', \gamma'')) = \bar{f}_3(\alpha'', \beta'', \gamma''). \end{aligned} \tag{199}$$

Dies führt dann zu anderen Transformationsgleichungen $\bar{f}_1, \bar{f}_2$ und $\bar{f}_3$. Die jeweiligen Funktionen können z. B. aus (187), (187a); (190), (190a) und (195) entnommen werden.

Liegen die *Transformationen als lineare Gleichungen* vor, so spricht man von *linearen Transformationen.* Z. B.

$$\begin{aligned} \alpha &= f_{11}\,\alpha' + f_{12}\,\beta' + f_{13}\,\gamma' = f_1(\alpha', \beta', \gamma') \\ \beta &= f_{21}\,\alpha' + f_{22}\,\beta' + f_{23}\,\gamma' = f_2(\alpha', \beta', \gamma') \\ \gamma &= f_{31}\,\alpha' + f_{32}\,\beta' + f_{33}\,\gamma' = f_3(\alpha', \beta', \gamma'). \end{aligned} \tag{200}$$

In Matrixschreibweise ergibt sich daraus

$$\begin{bmatrix} \alpha \\ \beta \\ \gamma \end{bmatrix} = \begin{bmatrix} f_{11} & f_{12} & f_{13} \\ f_{21} & f_{22} & f_{23} \\ f_{31} & f_{32} & f_{33} \end{bmatrix} \begin{bmatrix} \alpha' \\ \beta' \\ \gamma' \end{bmatrix} \tag{200a}$$

oder

$$\boldsymbol{\alpha} = f\,\boldsymbol{\alpha}' \tag{200b}$$

mit

$$\boldsymbol{\alpha} = \begin{bmatrix} \alpha \\ \beta \\ \gamma \end{bmatrix}; \qquad \boldsymbol{\alpha}' = \begin{bmatrix} \alpha' \\ \beta' \\ \gamma' \end{bmatrix}; \qquad f = \begin{bmatrix} f_{11} & f_{12} & f_{13} \\ f_{21} & f_{22} & f_{23} \\ f_{31} & f_{32} & f_{33} \end{bmatrix}. \tag{200c}$$

Die inverse Transformation ergibt sich dann zu (Multiplikation von links mit f^{-1} in (200b))

$$\boldsymbol{\alpha}' = f^{-1}\,\boldsymbol{\alpha}. \tag{201}$$

Ist $\boldsymbol{\alpha}'$ von $\boldsymbol{\alpha}''$ nach

$$\boldsymbol{\alpha}' = \mathfrak{g}'\,\boldsymbol{\alpha}'' \tag{202}$$

abhängig, so ergibt sich, wenn (202) in (200b) eingesetzt wird

$$\boldsymbol{\alpha} = f\,\mathfrak{g}'\,\boldsymbol{\alpha}'' = (f\,\mathfrak{g}')\,\boldsymbol{\alpha}'' = \bar{f}\,\boldsymbol{\alpha}'', \tag{203}$$

wobei im Einzelnen (entsprechend (198a) und (199))

$$\mathfrak{g}' = \begin{bmatrix} g'_{11} & g'_{12} & g'_{13} \\ g'_{21} & g'_{22} & g'_{23} \\ g'_{31} & g'_{32} & g'_{33} \end{bmatrix}; \qquad \bar{f} = \begin{bmatrix} \bar{f}_{11} & \bar{f}_{12} & \bar{f}_{13} \\ \bar{f}_{21} & \bar{f}_{22} & \bar{f}_{23} \\ \bar{f}_{31} & \bar{f}_{32} & \bar{f}_{33} \end{bmatrix}; \qquad \boldsymbol{\alpha}'' = \begin{bmatrix} \alpha'' \\ \beta'' \\ \gamma'' \end{bmatrix}. \tag{204}$$

δ) Lineare Abhängigkeit

Aus (201) ersehen wir, daß eine Transformation nur dann umkehrbar ist, wenn die Transformationsmatrix eine Determinante besitzt, deren Wert von Null verschieden ist (reguläre Matrix). In diesem Zusammenhang weisen wir auf die Tatsache hin, daß eine Determinante verschwindet, wenn zwischen allen Zeilen (oder Spalten) ein linearer Zusammenhang besteht. Da jede Zeile (Spalte) als ein Vektor aufgefaßt werden kann, so bedeutet dies, daß eine solche Determinante verschwindet, wenn zwischen ihren Vektoren (als Zeilen oder Spalten) ein linearer Zusammenhang existiert. Nennen wir die Vektoren $\mathfrak{a}_i$ $(i=1,\ldots,n)$ so darf also *nicht* gelten

$$\sum_{i=1}^{n} \alpha_i \mathfrak{a}_i = 0, \tag{205}$$

wenn mindestens ein Koeffizient α_i ungleich von Null ist. (Alle $\alpha_j \equiv 0$ ist ein trivialer Fall, den wir ausschließen). Gibt es aber mindestens ein $\alpha_j \neq 0$, so nennen wir die n Vektoren $\mathfrak{a}_i$ voneinander *linear abhängig (linearabhängiger Vektorensatz)*; dann verschwindet ihre Determinante. *Linear unabhängig* sind allgemein M Vektoren $\mathfrak{a}_i$ $(i=1,\ldots,M)$, wenn

$$\sum_{j=1}^{M} \alpha_j \mathfrak{a}_j = 0 \tag{206}$$

nur dann befriedigt werden kann, indem alle $\alpha_j \equiv 0$ sind. Wir erläutern dies an zwei Beispielen:

Betrachten wir zwei Vektoren $\mathfrak{r}_1 = (x_1, y_1)$, $\mathfrak{r}_2 = (x_2, y_2)$ in einer Ebene, so stellt geometrisch

$$\begin{vmatrix} x_1 & y_1 \\ x_2 & y_2 \end{vmatrix} = D_2 \tag{207}$$

die Fläche eines Parallelogramms dar, welches von den beiden Vektoren $\mathfrak{r}_1$ und $\mathfrak{r}_2$ aufgespannt wird, die vom Koordinatenursprung $(0,0,0)$ zu diesen Punkten hinführen. Gilt nun

$$\mathfrak{r}_1 + \lambda \mathfrak{r}_2 = 0, \tag{208}$$

so ist $D_2 = 0$, was dann geometrisch bedeutet, daß nach (208) die beiden Vektoren auf einer Geraden liegen, denn aus (208) folgt

$$\mathfrak{r}_1 = -\lambda \mathfrak{r}_2. \tag{208a}$$

In Erweiterung bedeutet

$$\begin{vmatrix} x_1 & y_1 & z_1 \\ x_2 & y_2 & z_2 \\ x_3 & y_3 & z_3 \end{vmatrix} = D_3. \tag{209}$$

das Volumen eines Parallelepipedes, welches von den Vektoren $\mathfrak{r}_1 = (x_1, y_1, z_1)$; $\mathfrak{r}_2 = (x_2, y_2, z_2)$; $\mathfrak{r}_3 = (x_3, y_3, z_3)$ vom gemeinsamen Ursprung $(0,0,0)$ aus aufgespannt wird. Sind die drei Vektoren linear abhängig

$$\mathfrak{r}_1 + \lambda \mathfrak{r}_2 + \mu \mathfrak{r}_3 = 0; \qquad (\lambda \neq 0; \quad \mu \neq 0), \tag{210}$$

so ist $D_3 \equiv 0$. Aus (210) folgt dann

$$\mathfrak{r}_1 = -\lambda \mathfrak{r}_2 - \mu \mathfrak{r}_3, \qquad (210a)$$

was nach der Vektoraddition bedeutet, daß die drei Vektoren in einer Ebene liegen. Wäre nach (210) nur $\lambda \neq 0$, aber $\mu = 0$ gewesen

$$\mathfrak{r}_1 + \lambda \mathfrak{r}_2 = 0; \qquad (\lambda \neq 0), \qquad (210b)$$

so liegen nach (208a) $\mathfrak{r}_1$ und $\mathfrak{r}_2$ auf einer Geraden, was ebenfalls zu $D_3 \equiv 0$ führt. In diesem Falle können nur noch $\mathfrak{r}_1$ und $\mathfrak{r}_3$ bzw. $\mathfrak{r}_2$ und $\mathfrak{r}_3$ linear unabhängig sein. Dagegen sind alle drei Vektoren nach (205) linear abhängig. Die maximale Anzahl r von M Vektoren, die linear unabhängig sind, nennen wir den *Rang des Vektorsystems*, wobei

$$0 \leq r \leq M. \qquad (211)$$

In unserem letzten Beispiel ist $M = 3$ und $r = 2$.
Der Begriff der linearen Unabhängigkeit läßt sich auch auf Funktionen erweitern. Danach sind M Funktionen $f_1, f_2 \ldots f_M$ linear unabhängig, wenn in

$$\sum_{j=1}^{M} \alpha_j f_j \equiv 0 \qquad (212)$$

notwendig alle α_j Null sein müssen. Die Anzahl der Argumente in f_j spielt dabei keine Rolle, doch müssen alle Funktionen f_j die gleiche Anzahl besitzen. Zur Beschreibung von irgendwelchen funktionellen Sachverhalten wird man also linear unabhängige Funktionsysteme verwenden, da anderenfalls Funktionen dieses Systems durch andere „linear dargestellt" und daher weggelassen werden können.
Alle diese Aussagen gelten auch für Funktionen komplexer Argumente, die wir in (45) eingeführt hatten. In diesem Falle sind die Überlegungen nach (212) auf die reellen und imaginären Anteile (vgl. (45a)) zu übertragen.

ε) *Komplexe Zahlenebene*

Bei dieser Gelegenheit wollen wir noch auf eine geometrische Interpretation der komplexen Zahlen eingehen, die mit der Vektordarstellung gewisse Analogien besitzt. Definieren wir ein rechtwinkliges Koordinatensystem, dessen Achsen die reellen und rein imaginären Zahlen enthalten (Abb. 24),

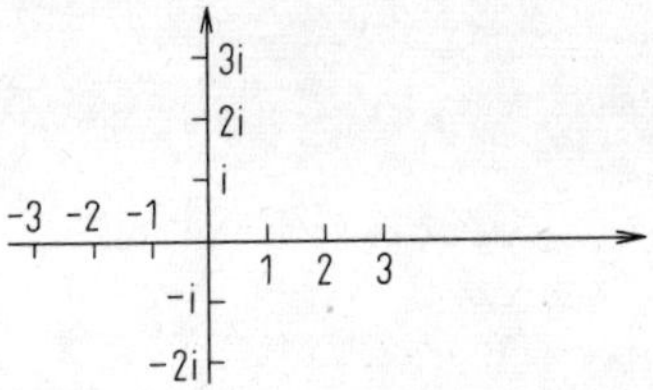

Abb. 24

so ist jeder komplexen Zahl

$$Z = a + bi \qquad (26')$$

nach (26) ein Punkt zugeordnet, genauso wie in den üblichen *rechtwinkligen reellen* Koordinatensystemen:

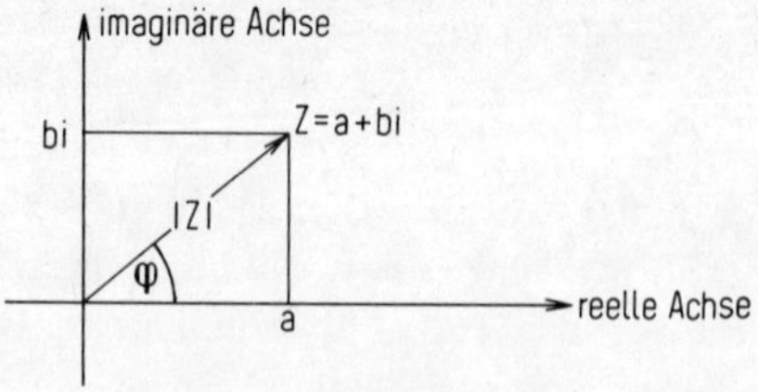

Abb. 25

Nach (29) ist der absolute Betrag einer komplexen Zahl der Abstand dieses Punktes Z vom Koordinatenursprung (Schnittpunkt von imaginärer und reeller Achse; $Z = 0$). Führen wir einen Winkel φ ein, so ist nach (60) und (61), sowie nach (29)

$$\cos\varphi = \frac{a}{|Z|} = \frac{a}{\sqrt{a^2 + b^2}} \qquad (213a)$$

$$\sin\varphi = \frac{b}{|Z|} = \frac{b}{\sqrt{a^2 + b^2}}\,. \qquad (214b)$$

Daraus folgt weiter die Beziehung

$$Z = |Z|\{\cos\varphi + i\sin\varphi\}; \qquad |Z| = +\sqrt{Z^* Z}, \qquad (215)$$

so daß wir auch jeden Punkt durch die Angabe von φ und $|Z|$ fixieren können. Hier gilt nun die wichtige *Eulersche Gleichung*

$$e^{i\varphi} = \cos\varphi + i\sin\varphi, \qquad (216)$$

die man in der Differentialrechnung beweisen kann, so daß (215) übergeht in

$$Z = |Z|e^{i\varphi}. \qquad (217)$$

Auch die Werte einer komplexen Funktion kann man in die sogenannte *komplexe Zahlenebene* (Abb. 24, 25) eintragen. Aus

$$Z = f(z) = f(x + ix') \qquad (218)$$

nach (31) und (45) ergibt sich wegen (45a)

$$Z = X + iX' = |Z|e^{i\varphi}, \qquad (219)$$

wenn

$$Z = +\sqrt{X^2 + X'^2} \qquad [\text{vgl. } (45\text{b})]. \qquad (219a)$$

Mit $\varphi \to 0$ ist der Übergang zu den reellen Zahlen und Funktionen vollzogen. Für $\varphi = \pi/2$ (vgl. (62)) erhält man alle imaginären Zahlen, denn nach (216) gilt

$$e^{i\frac{\pi}{2}} = i \qquad (220)$$

und weiter

$$e^{i\pi} = -1. \qquad (221)$$

Durch $|Z|<r$ sind alle reellen und komplexen Zahlen eingeschlossen, die innerhalb eines Kreises um $Z=0$ mit dem Radius r liegen. Die übrigen ergeben sich nach

$$|Z| \geq r. \qquad (222)$$

Durch $\varphi = \varphi_0$ sind alle komplexen Zahlen nach (26′) erfaßt, für die wegen (81)

$$\operatorname{tg} \varphi_0 = \frac{b}{a} \qquad (223)$$

ist. Die Summe zweier komplexen Zahlen (Funktionen) berechnet sich in der Form

$$Z = Z_1 + Z_2 = (a_1 + b_1 i) + (a_2 + b_2 i) = (a_1 + a_2) + i(b_1 + b_2) \qquad (224)$$

und damit analog der Vektoraddition (Abb. 14), denn in der komplexen Zahlebene ergibt sich (Abb. 26),

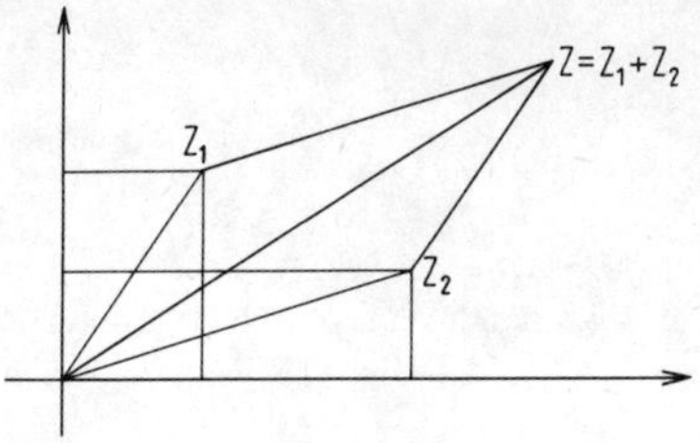

Abb. 26

wie man anhand von (224) zeigen kann.

ζ) *Ungleichungen*

Die Beziehung (222) stellt eine *Ungleichung* dar, ähnlich denen in (19a), (19b), (20) und (21). Ungleichungen lassen sich nur für Skalare finden! Wir wollen noch einige Rechenregeln für Ungleichungen aufstellen:

1. Die Gültigkeit einer Ungleichung bleibt erhalten, wenn auf beiden Seiten eine Zahl α addiert (subtrahiert) wird. Aus

$$a > b \qquad (225)$$

folgt also

$$a + \alpha > b + \alpha; \qquad (\alpha \gtreqless 0). \qquad (225a)$$

2. Eine Ungleichung bleibt erhalten, wenn beide Seiten mit einer positiven Zahl β multipliziert werden. Die Multiplikation mit einer negativen Zahl ändert den Sinn der Ungleichung. Aus

$$a > b \tag{226}$$

folgt somit

$$a\beta > b\beta; \qquad (\beta > 0) \tag{226a}$$

sowie

$$a\gamma < b\gamma; \qquad (\gamma < 0). \tag{226b}$$

Daraus folgt weiter aus

$$a\beta > c \quad \text{bzw.} \quad a\beta < d \tag{227}$$

die Ungleichung

$$a > \frac{c}{\beta} \quad \text{bzw.} \quad a < \frac{d}{\beta}, \tag{227a}$$

wenn $\beta > 0$.

3. Stehen auf beiden Seiten der Ungleichung Größen mit gleichen Vorzeichen, so wird die Ungleichung „umgedreht", wenn diese Größen in ihre reziproken Werte übergehen. Das heißt, aus

$$a > b; \qquad (a > b > 0 \quad \text{oder} \quad a < 0,\ b < 0) \tag{228}$$

ergibt sich

$$\frac{1}{a} < \frac{1}{b}. \tag{228a}$$

Mit Hilfe dieser Regeln lassen sich Ungleichungen auflösen. Beispiel: Es sollen die x-Werte berechnet werden, für die die Ungleichung

$$8 - 3x > 9x + 1 \tag{229}$$

gilt. Wegen 1. geht (229) in

$$-12x > -7 \tag{229a}$$

über. Anwendung von 2. (Multiplikation mit –1) liefert

$$12x < 7. \tag{229b}$$

Schließlich folgt aus (229b)

$$x < \frac{7}{12}. \tag{229c}$$

Aufg. 5 Sind die drei Vektoren

$$\begin{aligned} \mathfrak{v}_1 &= \{2,\ 3,\ 1\} \\ \mathfrak{v}_2 &= \{1, -1,\ 0\} \\ \mathfrak{v}_3 &= \{5,\ 10,\ 3\} \end{aligned}$$

linear abhängig?

Aufg. 6 Man berechne das skalare Produkt der Vektoren

$$\mathfrak{v}_1 = \{2 \quad 1 \quad 3\}$$
$$\mathfrak{v}_2 = \{1 \quad -8 \quad 2\};$$

wie liegen die beiden Vektoren zueinander?

d) Differentialrechnung

Die Differentiation einer Funktion $F(x)$ stellt eine *Rechenvorschrift an* $F(x)$ dar, mit der eine neue Funktion $f(x)$ erhalten wird. Man nennt $f(x)$ die *differenzierte* $F(x)$-Funktion oder die *abgeleitete Funktion* von $F(x)$ und schreibt

$$F'(x) \equiv f(x), \tag{230}$$

wobei der Strich am F' auf diese Rechenvorschrift (Differentiation) hinweist. Die Differentation kann man mehrmals auf eine Funktion $F(x)$ anwenden, wobei die Funktionen $F''(x)$, $F'''(x)$ ... resultieren:

$$\left.\begin{array}{l} F''(x) = g(x) \\ F'''(x) = h(x) \\ \vdots \qquad \vdots \end{array}\right\} \text{Differenzieren von } F(x). \tag{231}$$

Dabei ist vorausgesetzt worden, daß die Rechenvorschrift der Differentiation auch wirklich auf $F(x)$ angewendet werden kann (die Funktion $F(x)$ differenzierbar ist). Es gibt Funktionen, die nicht differenzierbar sind. In der Regel sind die Funktionen der mathematischen Naturwissenschaften differenzierbar!
Bildet man die Differenz $F(x+l) - F(x)$ mit $l \neq 0$, so stellt

$$\frac{F(x+l) - F(x)}{l} \tag{232}$$

den sogenannten *Differenzenquotienten der Funktion* $F(x)$ *an der Stelle* x *dar.* Beispiel: Für $F(x) = x^2$ ist der Differenzenquotient

$$\frac{(x+l)^2 - x^2}{l} = 2x + l. \tag{233}$$

Die Ableitung von $F(x)$ *an der Stelle* x *ist nun durch den Übergang* $l \to 0$ *im Differenzquotienten definiert* (Grenzübergang)

$$F'(x) = \lim_{l \to 0} \frac{F(x+l) - F(x)}{l} = f(x). \tag{234}$$

Aus (233) ergibt sich so nach (234)

$$F'(x) = (x^2)' = \lim_{l \to 0} (2x + l) = 2x = f(x), \tag{233a}$$

also

$$(x^2)' = 2x. \tag{233b}$$

Man schreibt in der Literatur oft

$$F(x + l) - F(x) = \Delta F \tag{235a}$$

und

$$(x + l) - x = \Delta x = l, \tag{235b}$$

um anzugeben, daß es sich jedesmal um eine Differenzbildung (Δ-Zeichen) in den Funktionswerten F oder im Argument (Variable) x handelt. In dieser Form schreibt sich der Differenzenquotient

$$\frac{\Delta F}{\Delta x}, \tag{236}$$

und es ist nach (234)

$$F'(x) = \lim_{\Delta x \to 0} \frac{\Delta F}{\Delta x} = f(x). \tag{237}$$

Aus diesem Grunde schreibt man auch

$$F'(x) = \frac{\mathrm{d}F}{\mathrm{d}x} = f(x)\,; \qquad \left(\lim_{\Delta \to 0} \frac{\Delta F}{\Delta x} = \frac{\mathrm{d}F}{\mathrm{d}x}\right), \tag{237a}$$

und nennt $\frac{\mathrm{d}F}{\mathrm{d}x}$ $\left(\text{im Gegensatz zu } \frac{\Delta F}{\Delta x}\right)$ den *Differentialquotienten.* Es ist wichtig, darauf hinzuweisen, daß in (232) l positiv oder negativ sein darf, und daß sich nach (234) jedesmal der gleiche Grenzwert $\frac{\mathrm{d}F}{\mathrm{d}x} = f(x)$ (besser Grenzfunktion) ergeben muß, anderenfalls ist $F(x)$ an der Stelle x nicht differenzierbar. Eine notwendige Voraussetzung, daß eine Ableitung existiert, ist die Eigenschaft der *Stetigkeit* für $F(x)$, indem

$$\lim_{l \to 0} \big(F(x + l) - F(x)\big) = 0 \tag{238}$$

sein soll. Doch sind stetige Funktionen nicht immer differenzierbar. So ist zum Beispiel (Abb. 27)

$$F(x) = |x| \tag{239}$$

an der Stelle $x = 0$ stetig, doch nicht differenzierbar, da

$$\lim_{l \to 0} \frac{|0 + l| - |0|}{l} = +1 \tag{240a}$$

und

$$\lim_{l \to 0} \frac{|0 - l| - |0|}{-l} = -1. \tag{240b}$$

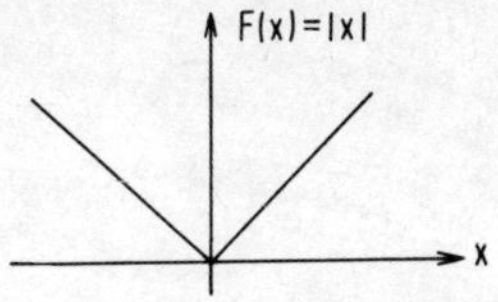

Abb. 27

Anschaulich kann $\frac{\mathrm{d}F}{\mathrm{d}x}$ als Tangente einer Kurve im Punkt x gedeutet werden (Abb. 28), indem die Sekante $\frac{\Delta F}{\Delta x}$ in F' übergeht, wenn $l \to 0$.

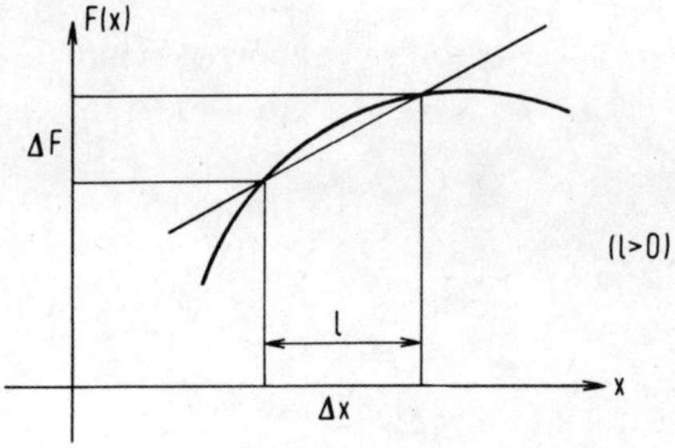

Abb. 28

$F' = \frac{\mathrm{d}F}{\mathrm{d}x}$ stellt dann eine neue Kurve $f(x)$ dar. Die Ableitung von $f(x)$ wiederum schreibt sich dann $\frac{\mathrm{d}f}{\mathrm{d}x} = f'$ und ist mit $F'' = \frac{\mathrm{d}^2 F}{\mathrm{d}x^2}$ identisch. Allgemein ist

$$F^{(n)} = \frac{\mathrm{d}^n F}{\mathrm{d}x^n} = f^{(n-1)} = \frac{\mathrm{d}^{n-1} f}{\mathrm{d}x^{n-1}}. \tag{241}$$

α) Differentiationsregeln

Ist c eine Konstante, so gilt

$$[cF(x)]' = cF'(x). \tag{242}$$

Für die Summen von Funktionen gilt

$$[F_1(x) + F_2(x) + \cdots + F_M(x)]' = F_1'(x) + F_2'(x) + \cdots + F_M'(x). \tag{243}$$

Das Produkt zweier Funktionen differenziert sich wie folgt

$$[F_1(x)\,F_2(x)]' = F_1'(x)\,F_2(x) + F_1(x)\,F_2'(x). \tag{244}$$

Schließlich gilt

$$\left[\frac{F_1(x)}{F_2(x)}\right]' = \frac{F_1'(x)\,F_2(x) - F_2'(x)\,F_1(x)}{F_2^2(x)}. \tag{245}$$

Alle Differentiationsregeln (242) bis (245) folgen aus der Anwendung der Definition einer Ableitung nach (234).
Wichtig ist die sogenannte „Kettenregel" nach der für

$$F(x) = U(V(x)) \tag{246}$$

gilt

$$\frac{\mathrm{d}F}{\mathrm{d}x} = \frac{\mathrm{d}U}{\mathrm{d}V}\,\frac{\mathrm{d}V}{\mathrm{d}x}, \tag{246a}$$

wenn nach (246) F eine Funktion von einer anderen Funktion V ist, die wieder von x abhängt. Ein Beispiel ist

$$F(x) = e^{-x^2} = e^{V(x)}, \tag{247}$$

wobei

$$V(x) = -x^2. \tag{247a}$$

β) Funktionen von mehreren Variablen

Ist eine Funktion F von mehreren Variablen abhängig (vgl. (35))

$$F = F(x_1, x_2, \ldots, x_M), \tag{248}$$

so entsteht die *partielle Ableitung von F* nach x_j, indem nach x_j differenziert wird und dabei alle übrigen Variablen als *konstant* betrachtet werden. Man schreibt dann („F partiell nach x_j")

$$\frac{\partial F}{\partial x_j} = F_{x_j} = \lim_{l \to 0} \frac{F(x_1, \ldots, x_{j-1}, x_j + l, x_{j+1}, \ldots, x_M) - F(x_1, \ldots, x_M)}{l} \tag{249}$$

Es entsteht dabei wieder eine neue Funktion, die von allen Koordinaten abhängen kann. Entsprechend bildet man weiter

$$\frac{\partial^2 F}{\partial x_j^2} = F_{x_j x_j} \tag{250a}$$

oder

$$\frac{\partial^2 F}{\partial x_j \partial x_i} = F_{x_j x_i}. \tag{250b}$$

Sind die Ableitungen einer Funktion an einer bestimmten Stelle stetig, so ist die Reihenfolge der partiellen Differentiationen gleichgültig. Danach gilt zum Beispiel

$$\frac{\partial^2 F}{\partial x_i \partial x_l} \equiv \frac{\partial^2 F}{\partial x_j \partial x_i} \tag{251}$$

oder

$$\frac{\partial^3 F}{\partial x_i \partial x_j \partial x_l} \equiv \frac{\partial^3 F}{\partial x_j \partial x_i \partial x_l} \equiv \frac{\partial^3 F}{\partial x_l \partial x_i \partial x_j} \equiv \cdots. \tag{252}$$

Wenn F nur von *einer* Variablen abhängt, ist natürlich

$$\frac{\partial F}{\partial x} \equiv \frac{\mathrm{d}F}{\mathrm{d}x}. \tag{253}$$

Sind alle x_j ($j = 1, \ldots, M$) wieder von einer Variablen (Parameter) t abhängig

$$x_j = x_j(t); \qquad (j = 1, \ldots, M), \tag{254}$$

so nennt man diese Darstellung von F eine *Parameterdarstellung*. Sie ist von der *impliziten* Darstellung

$$F - F(x_1, \ldots, x_M) \equiv G(x_1, \ldots, x_M) \equiv 0 \tag{255}$$

zu unterscheiden, denn die Gesamtheit aller Funktionen in (254) steht an Stelle von (255).

Beispiel: Der Kreis mit dem Radius a in der xy-Ebene ist *implizit* gegeben durch

$$x^2 + y^2 - a^2 \equiv 0. \tag{256a}$$

Die *explizite* Darstellung ist

$$y = \pm \sqrt{a^2 - x^2}. \tag{256b}$$

Eine *Parameterdarstellung* kann durch

$$\begin{aligned} x &= a \cos t \\ y &= a \sin t \end{aligned} \tag{256c}$$

gegeben sein. Auch

$$\begin{aligned} x &= a \sqrt{t} \\ y &= a \sqrt{1-t} \end{aligned}; \qquad (0 \leq t \leq 1) \tag{256d}$$

ist möglich.

Es gibt unendlich viele Parameterdarstellungen! Der Übergang von (254) nach (255) ist nur dann möglich, wenn die Elimination von t gelingt, indem ein Zusammenhang zwischen allen x_j gefunden wird, der nicht mehr den Parameter t enthält. Beispiel: Aus

$$\begin{aligned} x_1 &= 2(t+1) \\ x_2 &= t^2 \\ x_3 &= t^2 + t + 1 \end{aligned} \tag{257a}$$

folgt die explizite Darstellung der Funktion

$$x_3 = x_2 + \frac{x_1}{2}, \tag{257b}$$

oder deren implizite Form:

$$x_3 - x_2 - \frac{x_1}{2} \equiv 0. \tag{257c}$$

Setzen wir also (254) in (255) ein, so muß die implizite Darstellung ebenfalls erfüllt sein:

$$G(x_1(t), x_2(t), \ldots, x_M(t)) \equiv 0. \tag{258}$$

Die Erweiterung der Regel in (246a) liefert jetzt, auf (258) angewandt:

$$\frac{\mathrm{d}G}{\mathrm{d}t} = \frac{\partial G}{\partial x_1}\frac{\mathrm{d}x_1}{\mathrm{d}t} + \frac{\partial G}{\partial x_2}\frac{\mathrm{d}x_2}{\mathrm{d}t} + \cdots = \sum_{j=1}^{M} \frac{\partial G}{\partial x_j}\frac{\mathrm{d}x_j}{\mathrm{d}t} \equiv 0, \tag{259}$$

denn da (258) eine Identität ist, so muß auch deren Ableitung verschwinden. Die in der Summe stehenden Ableitungen nach t sind nach (253) Ableitungen von Funktionen einer Variablen.

Die Gleichung (259) läßt sich auch im Falle einer expliziten Darstellung verwenden. Ist also nach (248) eine Funktion gegeben, so ist wegen der Parameterdarstellung (254)

$$\frac{\mathrm{d}F}{\mathrm{d}t} = \frac{\partial F}{\partial x_1}\frac{\mathrm{d}x_1}{\mathrm{d}t} + \cdots = \sum_{j=1}^{M} \frac{\partial F}{\partial x_j}\frac{\mathrm{d}x_j}{\mathrm{d}t}. \tag{260}$$

Oft setzt man $x_j = t$ und hat in (260) $\frac{\mathrm{d}x_j}{\mathrm{d}t} = 1$. Die Variablen $x_1, \ldots, x_M$ sind dann Funktionen von x_j. In diesem Falle liegen also jedesmal explizite Darstellungen vor. Gehen wir zu einem anderen Koordinatensystem $x'_1, \ldots, x'_M$ über, in dem

$$x'_k = x'_k(x_1, \ldots, x_M); \qquad (k = 1, \ldots, M), \tag{261}$$

dann erhalten wir für (260)

$$\frac{\partial F}{\partial x_l} = \sum_{k=1}^{M} \frac{\partial F}{\partial x'_k}\frac{\partial x'_k}{\partial x_l} \tag{262}$$

oder

$$\frac{\partial F}{\partial x'_l} = \sum_{k=1}^{M} \frac{\partial F}{\partial x_k} \frac{\partial x_k}{\partial x'_l}, \tag{263}$$

wenn die Auflösungen von (261) nach den x_j vorliegen.

$$x_j = x_j(x'_1, \ldots, x'_M); \qquad (j = 1, \ldots, M). \tag{264}$$

γ) Elementare Ableitungen

Wir geben jetzt einige Ableitungen elementarer Grundfunktionen an: Es ist

$$F(x) = \text{const.} \qquad F' \equiv 0 \tag{265}$$

$$F(x) = x^n \qquad F' = n x^{n-1} \quad (\text{für alle } n \neq 0) \tag{266}$$

$$F(x) = \sin x \qquad F' = \cos x \tag{267}$$

$$F(x) = \cos x \qquad F' = -\sin x \tag{268}$$

$$F(x) = e^x \qquad F' = e^x \tag{269}$$

$$F(x) = \ln x \qquad F' = \frac{1}{x} \tag{270}$$

$$F(x) = a^x \qquad F' = a^x \ln a \tag{271}$$

$$F(x) = \arcsin x \qquad F' = \frac{+1}{\sqrt{1 - x^2}} \tag{272}$$

$$F(x) = \arccos x \qquad F' = \frac{-1}{\sqrt{1 - x^2}} \tag{273}$$

$$F(x) = \operatorname{arctg} x \qquad F' = \frac{1}{1 + x^2} \tag{274}$$

$$F(x) = \operatorname{arccotg} x \qquad F' = \frac{-1}{1 + x^2} \tag{275}$$

$$F(x) = \cosh x \qquad F' = \sinh x \tag{276}$$

$$F(x) = \sinh x \qquad F' = \cosh x \tag{277}$$

Die Ableitungen (265) bis (277) folgen alle aus der Definition (234). Mit Hilfe dieser Gleichungen lassen sich praktisch alle Funktionen differenzieren, wenn gegebenenfalls von den Regeln (242) bis (246a) Gebrauch gemacht wird. Beispiele:

$$(x \ln x)' = \ln x + 1; \qquad (\text{nach } (244)) \tag{278}$$

$$(\ln(\sin x))' = \frac{1}{\sin x}(\sin x)' = \frac{\cos x}{\sin x} = \operatorname{cotg} x; \qquad (\text{nach } (246\text{a})) \tag{279}$$

$$\left(\frac{\ln x}{x}\right)' = \frac{\frac{1}{x}x - \ln x}{x^2} = \frac{1 - \ln x}{x^2}; \qquad (\text{nach } (245)). \tag{280}$$

δ) *Extremaleigenschaften*

Mit Hilfe der Ableitung einer Funktion lassen sich bestimmte Eigenschaften dieser Funktion diskutieren. An gewissen Stellen kann eine Funktion $F(x)$ Extrema haben (Maxima oder Minima), wie etwa die Funktion der Abb. 29

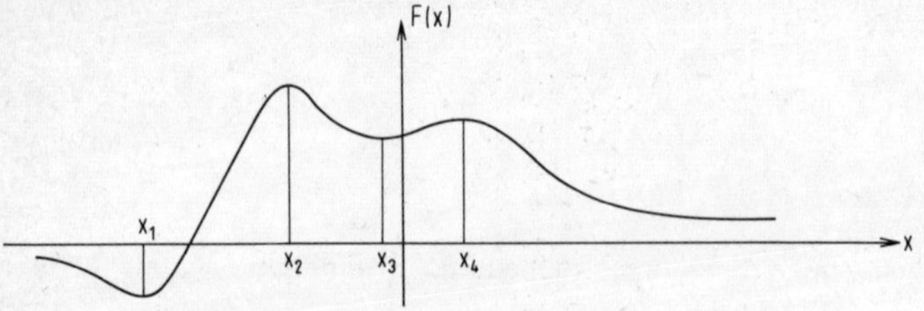

Abb. 29

die bei x_1 und x_3 Minima, an den Stellen x_2 und x_4 Maxima besitzt. Das höchste Maximum (für $x = x_2$) wird das *absolute Maximum* genannt. Für $x = x_1$ hat die Funktion das *absolute Minimum*. An allen diesen Stellen hat die Ableitung von F den Wert Null, da dort die Tangente waagerecht (horizontal) ist. Die Bedingung für ein Extremum ist daher

$$F'(x) = 0, \tag{281}$$

woraus sich die x-Werte an denen $F(x)$ ein Extremum durchläuft, bestimmen lassen. *Die notwendigen und hinreichenden Bedingungen für ein Extremum an der Stelle x_0 sind: Es muß $F'(x_0) = 0$ sein und die erste nichtverschwindende Ableitung muß von gerader Ordnung sein. Ist diese positiv (negativ), so liegt ein Minimum (Maximum) vor.*

Beispiel: Es liege die Funktion

$$F(x) = \frac{x^2}{2} - x \tag{282}$$

vor. In diesem Falle ist

$$F'(x) = x - 1 = 0, \tag{282a}$$

also liegt bei $x = 1$ ein Extremum. Aus

$$F''(x) = 1 > 0 \tag{282b}$$

folgt, daß dies ein Minimum ist, dessen Wert

$$F(1) = -\frac{1}{2} \tag{282c}$$

beträgt.

In ähnlicher Weise gilt für eine *Funktion (248) von mehreren Veränderlichen, daß*

$$\frac{\partial F}{\partial x_i} = 0; \qquad (i = 1, \ldots, M) \tag{283}$$

gelten muß, wenn an dieser Stelle ein Extremum liegen soll. Ein solches sei z. B. für $x_1 = x_1^{(0)}$; $x_2 = x_2^{(0)}$; ... $x_M = x_M^{(0)}$ gegeben. Für $M = 2$ (zwei Variable) gilt dann, daß die Determinante der zweiten Ableitungen von F an dieser Stelle positiv sein muß

$$D = \begin{vmatrix} F_{x_1 x_1} & F_{x_1 x_2} \\ F_{x_2 x_1} & F_{x_2 x_2} \end{vmatrix} > 0 \qquad (284)$$

und daß ferner

$$F_{x_1 x_1} \text{ (oder } F_{x_2 x_2}) \begin{matrix} > 0, & \text{wenn ein Minimum} \\ < 0, & \text{wenn ein Maximum} \end{matrix} \qquad (285)$$

vorliegt.
Als Beispiel sei

$$F(x_1, x_2) = \frac{2}{3} x_1^3 - 2 x_1 x_2 + x_2^2$$

gegeben. Aus

$$\begin{aligned} \frac{\partial F}{\partial x_1} &= 2 x_1^2 - 2 x_2 = 0 \\ \frac{\partial F}{\partial x_2} &= 2 x_2 - 2 x_1 = 0 \end{aligned} \qquad (286\text{a})$$

ergeben sich die beiden Wertepaare: $x_1^{(0)} = 0$, $x_2^{(0)} = 0$ und $x_1^{(0)\prime} = 1$; $x_2^{(0)\prime} = 1$ als Lösung. Nach (284) ist

$$D = \begin{vmatrix} 4 x_1 & -2 \\ -2 & 2 \end{vmatrix} = 8 x_1 - 4, \qquad (286\text{b})$$

so daß sich für das zweite Wertepaar ($x_1^{(0)\prime} = x_2^{(0)\prime} = 1$) $D > 0$ ergibt. Der Punkt $x_1^{(0)} = x_2^{(0)} = 0$ stellt daher kein Extremum dar. Wegen (285) ist das Extremum bei $x_1^{(0)} = x_2^{(0)} = 1$ ein Minimum.
Für drei Variable ($M = 3$) gilt, neben (283), daß für ein Minimum

$$D = \begin{vmatrix} F_{x_1 x_1} & F_{x_1 x_2} & F_{x_1 x_3} \\ F_{x_2 x_1} & F_{x_2 x_2} & F_{x_2 x_3} \\ F_{x_3 x_1} & F_{x_3 x_2} & F_{x_3 x_3} \end{vmatrix} > 0; \quad D_{33} = \begin{vmatrix} F_{x_1 x_1} & F_{x_1 x_2} \\ F_{x_2 x_1} & F_{x_2 x_2} \end{vmatrix} > 0 \quad \text{und} \quad F_{x_1 x_1} > 0 \qquad (287)$$

sein muß. Ein Maximum liegt bei

$$D < 0; \quad D_{33} > 0 \quad \text{und} \quad F_{x_1 x_1} < 0 \qquad (288)$$

vor.
Auch wenn eine Funktion nur implizite gegeben ist, können die Untersuchungen bezüglich der Extremwerte durchgeführt werden. Sei etwa

$$G(x_1, x_2) \equiv 0 \qquad (289)$$

vorgegeben, so denken wir uns (obgleich dies angenommener Weise nicht möglich ist) die Funktion (289) nach x_2 aufgelöst

$$x_2 = x_2(x_1) \qquad (289\text{a})$$

und finden dann, weil immer

$$G(x_1, x_2(x_1)) \equiv 0 \tag{289b}$$

gelten muß, nach (262) (oder (263)) die Gleichung

$$\frac{\partial G}{\partial x_1}\frac{\partial x_1}{\partial x_1} + \frac{\partial G}{\partial x_2}\frac{\partial x_2}{\partial x_1} \equiv 0; \qquad \left(\frac{\partial x_1}{\partial x_1} = 1\right) \tag{289c}$$

erfüllt, aus der sich

$$\frac{\partial x_2}{\partial x_1} = -\frac{\dfrac{\partial G}{\partial x_1}}{\dfrac{\partial G}{\partial x_2}} \tag{290}$$

ergibt. Die Ableitung der expliziten Darstellung von (289) (linke Seite) ist damit durch Ableitungen in G (rechte Seite) ausgedrückt! Die Übernahme der Gleichungen (262) (oder (263)) geschah hier, indem an Stelle von (261) (oder (264)) die Gleichungen

$$\begin{aligned} x_1 &= x_1 \\ x_2 &= x_2(x_1) \end{aligned} \tag{291}$$

treten, von denen die zweite schon in (289a) angegeben war und G die implizite Darstellung bedeutet, so daß sich die linken Seiten von (262) bzw. (263) zu Null ergeben, da man Identitäten, wie (289) eine ist, differenzieren darf. Aus (290) folgt dann die inverse Form

$$\frac{\partial x_1}{\partial x_2} = -\frac{\dfrac{\partial G}{\partial x_2}}{\dfrac{\partial G}{\partial x_1}}. \tag{290a}$$

Allgemein gilt:

Ist eine implizite Funktion $G \equiv 0$ nach (255) vorgegeben, so denkt man sich wieder nach einem bestimmten x_k die Auflösung durchgeführt

$$x_k = x_k(x_1, \ldots, x_{k-1}, x_{k+1}, \ldots, x_M) \tag{292}$$

und diese Funktion in $G \equiv 0$ eingesetzt

$$G(x_1, \ldots, x_{k-1}, x_k(x_1, \ldots, x_{k-1}, x_{k+1}, \ldots x_M), x_{k+1}, \ldots, x_M) \equiv 0. \tag{293}$$

Da die partiellen Ableitungen von G nach x_j ($j = 1, \ldots k-1, k+1, \ldots, M$) verschwinden müssen, so erhält man die Gleichungen

$$\frac{\partial G}{\partial x_j} + \frac{\partial G}{\partial x_k}\frac{\partial x_k}{\partial x_j} = 0; \qquad (j = 1, \ldots k-1, k+1 \ldots, M), \tag{293a}$$

aus denen

$$\frac{\partial x_k}{\partial x_j} = -\frac{\dfrac{\partial G}{\partial x_j}}{\dfrac{\partial G}{\partial x_k}} \tag{293b}$$

resultiert. Auch hier sind wieder die partiellen Ableitungen der expliziten Form (292) durch partielle Ableitungen von G ausgedrückt worden. Da k in (292) beliebig ist, so können nach (293b) alle Ableitungen der expliziten Form bei Kenntnis von G ausgerechnet werden. Auf welche Koordinaten die Extremaluntersuchungen ausgedehnt werden, hängt vom jeweils vorliegenden Problem ab. Durch weiteres Differenzieren von (293b) können die höheren Ableitungen erhalten werden. Nach (245) erhalten wir zum Beispiel aus (293b)

$$\frac{\partial^2 x_k}{\partial x_j \partial x_m} = -\frac{\dfrac{\partial^2 G}{\partial x_j \partial x_m}\dfrac{\partial G}{\partial x_k} - \dfrac{\partial^2 G}{\partial x_k \partial x_m}\dfrac{\partial G}{\partial x_j}}{\left(\dfrac{\partial G}{\partial x_k}\right)^2}. \tag{294}$$

Auf die $\dfrac{\partial x_k}{\partial x_j \partial x_m}\left(\text{bzw. } \dfrac{\partial x_k}{\partial x_j}\right)$ können dann wieder die oben angegebenen Sätze zum Aufsuchen von Extrema angewendet werden. Wird zum Beispiel das Maximum von (289a) gesucht (falls vorhanden), so ist nach (290) zu setzen

$$\frac{\dfrac{\partial G}{\partial x_1}}{\dfrac{\partial G}{\partial x_2}} = 0; \qquad \left(\frac{\partial G}{\partial x_2} \neq 0\right); \tag{295}$$

zusammen mit (289) können die (x_1, x_2)-Werte der Extrema bestimmt werden. In (289a) liegt eine Funktion von einer Veränderlichen vor. Daher bestimmt das Vorzeichen der nächsten nichtverschwindenden Ableitung (die von gerader Ordnung sein muß), ob ein Minimum oder Maximum in x_2 vorliegt. Aus (290) folgt weiter

$$\frac{\partial^2 x_2}{\partial x_1^2} = \frac{\dfrac{\partial^2 G}{\partial x_1^2}}{\dfrac{\partial G}{\partial x_2}} \begin{array}{l} > 0 \text{ Minimum} \\ < 0 \text{ Maximum} \end{array} \tag{296}$$

wenn wir (295) beachten und voraussetzen, daß sich schon die zweite Ableitung von Null verschieden ergibt. Durch Vertauschen von x_1 und x_2 erhält man die entsprechenden Gleichungen zur Untersuchung der x_1-Extrema (vgl. 290a).

Liegt eine Funktion in der Parameterdarstellung vor, wie in (254) angegeben, so haben wir zum Beispiel, wenn

$$\begin{aligned} x_1 &= x_1(t) \\ x_2 &= x_2(t) \end{aligned} \tag{297}$$

vorgegeben ist

$$\frac{dx_1}{dx_2} = \frac{dx_1}{dt}\,\frac{dt}{dx_2} = \frac{\dfrac{dx_1}{dt}}{\dfrac{dx_2}{dt}} \tag{297a}$$

wobei die Existenz der differenzierbaren Funktion

$$t = t(x_2) \tag{297b}$$

aus der zweiten Zeile in (297) angenommen wurde.

ε) *Extremaleigenschaften bei Nebenbedingungen*

Bisher waren die Untersuchungen über die Extremaleigenschaften von Funktionen von der Annahme ausgegangen, daß alle Variablen frei gewählt werden können. Ist dies nicht der Fall, liegen also einschränkende Forderungen an die Wählbarkeit der Werte für die Variablen vor, so bezeichnen wir diese als *Nebenbedingungen* an die $x_1, \ldots, x_M$. Diese können wieder in Form von impliziten Funktionen

$$g_j(x_1, \ldots, x_M) = 0; \qquad (j = 1, \ldots, K) \tag{298}$$

formuliert werden. Es liegen, so wollen wir annehmen, K solche Forderungen an die Koordinaten (Variablen) vor, wobei $K < M$ sein muß, damit noch einige x_i frei gewählt werden können. Für $K = M$ liegen nämlich nach (298) soviel Bedingungsgleichungen vor, wie unbekannte x_j existieren.
Das Aufsuchen der Extremalwerte von F in (248) geschieht somit unter Beachtung von (298) (*Variationen mit Nebenbedingungen*).
Wir geben ohne Beweis das Rezept an, nach welchem hier vorzugehen ist. *Man bilde die Funktion*

$$F(x_1, \ldots, x_M) - \sum_{j=1}^{K} \lambda_j g_j(x_1, \ldots, x_M) = \Lambda \tag{299}$$

und setze deren partielle Ableitungen nach $x_1, \ldots, x_M$ *und* $\lambda_1, \ldots, \lambda_K$ *gleich Null.* Man erhält dann $M+K$ Gleichungen, für die $M+K$ Unbekannten $x_1, \ldots, x_M, \lambda_1, \ldots, \lambda_K$, und somit daraus die von den Nebenbedingungen zugelassenen $x_1, \ldots, x_M$, für die die Funktion $F(x_1, \ldots, x_M)$ Extremwerte haben kann. Man nennt die λ_j die *Lagrangeschen Multiplikatoren.*

$$F(x_1, x_2, x_3) = \frac{1}{2}\left(x_1^2 + x_2^2 + x_3^2\right) + x_1 x_2 + x_1 x_3 + x_2 x_3 \tag{300}$$

gesucht. Würde keine Nebenbedingung vorliegen, so wird F immer größer, je größer die Variablen werden. Verlangen wir dagegen, daß die x_1, x_2 und x_3 bei der Variation auf einer Kugel vom Radius a liegen sollen, so gilt

$$g(x_1, x_2, x_3) = x_1^2 + x_2^2 + x_3^2 - a^2 \equiv 0, \tag{301}$$

und wir haben nach (299) die Funktion

$$\Lambda = F(x_1, x_2, x_3) - \lambda g(x_1, x_2, x_3) \tag{302}$$

zu untersuchen. Also

$$\begin{aligned} \frac{\partial \Lambda}{\partial x_1} &= (x_1 + x_2 + x_3) - 2\lambda x_1 = 0 \\ \frac{\partial \Lambda}{\partial x_2} &= (x_2 + x_1 + x_3) - 2\lambda x_2 = 0 \\ \frac{\partial \Lambda}{\partial x_3} &= (x_3 + x_1 + x_2) - 2\lambda x_3 = 0 \\ \frac{\partial \Lambda}{\partial \lambda} &= g(x_1, x_2, x_3) = 0. \end{aligned} \tag{303}$$

Die letzte Gleichung in (303) ist mit (301) identisch, wie überhaupt die Ableitungen nach λ_j in (299) zu den Nebenbedingungen führen. Aus den ersten drei Gleichungen (303) ergibt sich (vgl. S. 29 u. f.)

$$x_1 = x_2 = x_3 \tag{303a}$$

mit

$$\lambda = \frac{3}{2} \tag{303b}$$

so daß sich ein Extremum an der Stelle

$$x_1 = x_2 = x_3 = \frac{\pm a}{\sqrt{3}} \tag{304}$$

ergibt, wenn man (303a) in (301) einsetzt. Der Wert von F beträgt dort

$$F = \frac{3}{2} a^2 \tag{304a}$$

und ist ein Maximum, da alle x_i nach (304) nur gleiche Vorzeichen haben können und somit F immer positiv ist. Die Gleichungen (303) haben aber noch die Lösung

$$x_1 = x_2 = x_3 = 0 \quad \text{mit} \quad \lambda = \text{beliebig}. \qquad 305$$

Setzen wir diese in F ein so ergibt sich

$$F = 0. \tag{305a}$$

Damit ist das Minimum von F gefunden. Daß (305a) ein Minimum ist, sieht man auch daraus, daß sich F nach (300) in der Form

$$F = \frac{1}{2}(x_1 + x_2 + x_3)^2 \geq 0 \tag{300a}$$

schreiben läßt. Die Variation mit Nebenbedingungen ist ein wichtiges Hilfsmittel in der theoretischen Chemie.

ζ) *Potenzreihenentwicklungen*

Mit Hilfe der Differentialrechnung lassen sich Funktionen $F(x)$ in *Potenzreihen* entwickeln

$$F(x) = b_0 + b_1(x - x_0) + b_2(x - x_0)^2 + \cdots = \sum_{j=0}^{\infty} b_j(x - x_0)^j \tag{306}$$

wobei, wie man sagt, in (306) $F(x)$ *an der Stelle* $x = x_0$ *entwickelt* wurde. Man nennt (306) die *Taylor-Reihe* der Funktion $F(x)$. Eine solche Darstellung (Entwicklung) ist eindeutig, d. h., es gibt nur einen Satz von Koeffizienten b_j. Diese ergeben sich als Ableitungen der Funktion $F(x)$, indem

$$b_0 = F(x_0); \qquad b_1 = \left.\frac{\mathrm{d}F}{\mathrm{d}x}\right|_{x=x_0}; \cdots \tag{307}$$

Allgemein gilt

$$b_j = \frac{1}{j!} \left.\frac{\mathrm{d}^j F}{\mathrm{d}x^j}\right|_{x=x_0}, \tag{308}$$

wobei

$$j! = 1 \cdot 2 \cdot 3 \ldots (j-1) \cdot j; \qquad (0! = 1) \tag{309}$$

(j! wird „j Fakultät" genannt) und die j-te Ableitung in (308) von $F(x)$ an der Stelle $x = x_0$ zu bestimmen ist.

Mit Hilfe der Reihenentwicklungen lassen sich Funktionen approximieren und Funktionswerte abschätzen, indem man die Reihe, in der Meinung, daß deren Glieder immer kleiner werden, nach einigen Gliedern abbricht. Wird nach dem n-ten Glied abgebrochen, so ist $F(x)$ durch ein Polynom n-ten Grades angenähert worden, wobei vorausgesetzt wurde, daß $F(x)$ n-mal an der Stelle $x = x_0$ differenzierbar ist, was praktisch bei allen Funktionen der theoretischen Naturwissenschaften der Fall ist, die beliebig oft differenziert werden können!

Der Fehler im Abbruch nach dem n-ten Glied kann mit Hilfe des *Restgliedes* R_n abgeschätzt werden, denn es gilt

$$F(x) = \sum_{j=0}^{n} \left.\frac{\mathrm{d}^j F}{\mathrm{d} x^j}\right|_{x_0} \frac{(x - x_0)^j}{j!} + R_n \tag{310}$$

mit

$$R_n = \frac{(x - x_0)^{n+1}}{(n+1)!} \left.\frac{\mathrm{d}^{n+1} F}{\mathrm{d} x^{n+1}}\right|_{x_0 + \Theta(x - x_0)}, \tag{310a}$$

wenn

$$0 < \Theta < 1, \tag{310b}$$

wodurch

$$x_0 < x_0 + \Theta(x - x_0) < x; \qquad (x > x_0). \tag{310c}$$

Es gibt somit ein bestimmtes $\Theta = \Theta_0$, für welches die Gleichung (310) erfüllt ist. Θ_0 hängt unter anderem auch von n ab. Gilt

$$\lim_{n \to \infty} R_n = 0, \tag{311}$$

so ist $F(x)$ in eine Potenzreihe (Polynom unendlichen Grades) entwickelbar.
Beispiele für Reihenentwicklungen sind:

$$e^x = 1 + x + \frac{x^2}{2} + \cdots = \sum_{j=0}^{\infty} \frac{x^j}{j!} \tag{312}$$

$$\text{Restglied: } \frac{x^{n+1}}{(n+1)!} e^{\Theta x}, \tag{312a}$$

weil $x_0 = 0$.

$$\sin \mathrm{x} = x - \frac{x^3}{3!} + \frac{x^5}{5!} - \cdots = \sum_{j=0}^{\infty} \frac{x^{2j+1}}{(2j+1)!} (-1)^j \tag{313}$$

$$\text{Restglied: } \pm \frac{x^{n+1}}{(n+1)!} \cos \Theta x, \qquad (x_0 = 0) \tag{313a}$$

$$\cos x = 1 - \frac{x^2}{2!} + \frac{x^4}{4!} - \cdots = \sum_{j=0}^{\infty} \frac{x^{2j}}{(2j)!} (-1)^j \tag{314}$$

$$\text{Restglied: } \pm \frac{x^{n+1}}{(n+1)!} \cos \Theta x; \qquad (x_0 = 0). \tag{314a}$$

$$\ln(1 + x) = x - \frac{x^2}{2} + \frac{x^3}{3} - \cdots = \sum_{j=0}^{\infty} \frac{x^{j+1}}{j+1} (-1)^j \tag{315}$$

$$\text{Restglied: } \pm \frac{x^{n+1}}{n+1} \frac{1}{(1 + \Theta x)^{n+1}}; \qquad (x_0 = 0) \tag{315a}$$

Für die Restglieder der Reihen (312), (313) und (314) gilt (311), womit diese Darstellungen gerechtfertigt werden. Dagegen ist für (315a) der Übergang (311) nur dann erfüllt, wenn $-1 < x \leq +1$, denn es ist

$$\lim_{n\to\infty} \frac{x^{n+1}}{(n+1)!} = 0, \tag{316}$$

aber

$$\lim_{n\to\infty} \frac{x^{n+1}}{n+1} = 0 \tag{316a}$$

nur, wenn x kleiner als Eins ist! Diese Einschränkung in x rührt daher, weil sich $\ln(1+x)$ an der Stelle $x = -1$ ($\ln x$ an der Stelle $x = 0$) nicht in eine Reihe entwickeln läßt. An dieser Stelle ist $\ln(1+x)$ nicht definiert und somit auch nicht differenzierbar. Dagegen läßt sich $\ln x$ an der Stelle $x = 1$ entwickeln. Man erhält nach (310) (310a)

$$\ln x = \sum_{j=1}^{\infty} \frac{(x-1)^j}{j} (-1)^{j-1} \tag{317}$$

mit

$$R_{n+1} = \pm \frac{(x-1)^{n+1}}{n+1} \frac{1}{[1+\Theta(x-1)]^{n+1}}. \tag{317a}$$

Für $\ln 2$ ergibt sich somit

$$\ln 2 = \sum_{j=1}^{\infty} \frac{(-1)^{j-1}}{j}. \tag{318}$$

Brechen wir nach dem zweiten Gliede ab, so lautet die Darstellung mit Restglied

$$\ln 2 = 1 - \frac{1}{2} + \frac{1}{3} \cdot \frac{1}{(1+\Theta)^3}, \tag{319}$$

so daß wir mit (310c) die Abschätzung

$$1 - \frac{1}{2} + \frac{1}{24} \leq \ln 2 \leq 1 - \frac{1}{2} + \frac{1}{3} \tag{319a}$$

gefunden haben, aus der

$$0{,}542 \leq \ln 2 \leq 0{,}833 \tag{319b}$$

folgt. Exakt ist $\ln 2 = 0{,}693\ldots$

Die *Potenzreihenentwicklung für Funktionen von mehreren Veränderlichen* lautet, wenn zum Beispiel $F(x_1, x_2)$ vorliegt,

$$F(x_1, x_2) = \sum_{i=0}^{\infty} \sum_{j=0}^{\infty} b_{ij} (x_1 - x_1^{(0)})^i (x_2 - x_2^{(0)})^j, \tag{320}$$

wenn

$$b_{00} = F(x_1^{(0)}, x_2^{(0)})$$

$$b_{10} = \left.\frac{\partial F}{\partial x_1}\right|_{x_1^{(0)} x_2^{(0)}}; \qquad b_{01} = \left.\frac{\partial F}{\partial x_2}\right|_{x_1^{(0)} x_2^{(0)}} \tag{320a}$$

$$b_{20} = \frac{1}{2!} \left.\frac{\partial^2 F}{\partial x_1^2}\right|_{x_1^{(0)} x_2^{(0)}}; \qquad b_{11} = \left.\frac{\partial^2 F}{\partial x_1 \partial x_2}\right|_{x_1^{(0)} x_2^{(0)}}; \qquad b_{02} = \frac{1}{2!} \left.\frac{\partial^2 F}{\partial x_2^2}\right|_{x_1^{(0)} x_2^{(0)}},$$

$$\vdots \qquad\qquad \vdots \qquad\qquad \vdots$$

wobei $F(x_1, x_2)$ an der Stelle $x_1^{(0)}$ und $x_2^{(0)}$ entwickelt wird. Allgemein gilt

$$b_{ij} = \left.\frac{\partial^{i+j} F}{\partial x_1^i \, \partial x_2^j}\right|_{x_1^{(0)} x_2^{(0)}} \frac{1}{i!\,j!}\,. \tag{321}$$

η) *Einige Differentialoperatoren*

Führt man eine *Differentialvorschrift* D_n in der Weise ein, daß

$$\begin{aligned}(D_n F)_{x_1^{(0)} x_2^{(0)}} &= \frac{1}{n!} \left\{ (x_1 - x_1^{(0)}) \frac{\partial}{\partial x_1} + (x_2 - x_2^{(0)}) \frac{\partial}{\partial x_2} \right\}^n F \Bigg|_{x_1^{(0)} x_2^{(0)}} \\ &= \frac{1}{n!} \sum_{k=0}^{n} \binom{n}{k} (x_1 - x_1^{(0)})^k (x_2 - x_2^{(0)})^{n-k} \left.\frac{\partial^n F}{\partial x_1^k \, \partial x_2^{n-k}}\right|_{x_1^{(0)} x_2^{(0)}}\end{aligned} \tag{322}$$

sein soll, wobei *(Binomialkoeffizient)*

$$\binom{n}{k} = \frac{n!}{(n-k)!\,k!}\,, \tag{322a}$$

so geht (320) über in

$$F(x_1, x_2) = \sum_{l=0}^{\infty} (D_l F)_{x_1^{(0)} x_2^{(0)}}. \tag{323}$$

Das Restglied ergibt sich danach zu

$$R_n = (D_{n+1} F)_{x_1^{(0)} + \Theta(x_1 - x_1^{(0)}),\; x_2^{(0)} + \Theta(x_2 - x_2^{(0)})}\,, \tag{324}$$

wenn wieder Θ wie in (310b) beschränkt sein soll. Wir nennen eine *mathematische Vorschrift* D, die angibt, was mit der rechts davon stehenden Funktion geschehen soll, und die im wesentlichen aus Differentiationen (Differentialoperationen) besteht, einen *Differentialoperator* (Differentialvorschrift). In (322) war zum Beispiel

$$D = \frac{1}{n!} \left\{ (x_1 - x_1^{(0)}) \frac{\partial}{\partial x_1} + (x_2 - x_2^{(0)}) \frac{\partial}{\partial x_2} \right\}^n \equiv D_n\,. \tag{325}$$

Auch

$$D = \frac{\partial}{\partial x} \tag{326}$$

ist ein Differentialoperator, der hier nur aus einer einfachen Differentiation besteht.

Ein wichtiger Differentialoperator in der theoretischen Chemie und Physik ist

$$D = \frac{\partial^2}{\partial x_1^2} + \frac{\partial^2}{\partial x_2^2} + \frac{\partial^2}{\partial x_3^2} + \cdots + \frac{\partial^2}{\partial x_n^2}, \tag{327}$$

den man in der Regel, wenn $n = 3$, mit

$$D = \Delta = \frac{\partial^2}{\partial x^2} + \frac{\partial^2}{\partial y^2} + \frac{\partial^2}{\partial z^2} \tag{328}$$

(Deltaoperator) bezeichnet. Zu erwähnen wäre noch der Fall

$$D = \nabla \text{ (Nabla Operator)}, \tag{329}$$

mit

$$\nabla = \mathfrak{e}_1 \frac{\partial}{\partial x_1} + \mathfrak{e}_2 \frac{\partial}{\partial x_2} + \mathfrak{e}_3 \frac{\partial}{\partial x_3}, \tag{329a}$$

wobei nach (179) und (181) die $\mathfrak{e}_j$ Einheitsvektoren in die x_1-, x_2- und x_3-Richtungen sind. Wegen (183) ist

$$\nabla\nabla \equiv \Delta. \tag{330}$$

In der Regel entsprechen die x_1, x_2 und x_3 den kartesischen Koordinaten (Abb. 18), doch können diese Differentialoperatoren auch in andere Koordinatensysteme transformiert werden. Sie nehmen dann zwar eine andere mathematische Form an, stellen aber im Sinne ihrer Definition den gleichen Operator dar. In Kugelkoordinaten (190) ergibt sich

$$\Delta = \frac{1}{r}\frac{\partial^2}{\partial r^2} r + \frac{1}{r^2 (\sin\vartheta)^2}\left\{\frac{\partial^2}{\partial \varphi^2} + \sin\vartheta \frac{\partial}{\partial \vartheta}\left(\sin\vartheta \frac{\partial}{\partial \vartheta}\right)\right\}, \tag{331}$$

während Δ in elliptischen Koordinaten (195) die folgende Form hat

$$\Delta = \frac{4}{R^2(\mu^2 - \nu^2)}\left\{\frac{\partial}{\partial \mu}(\mu^2 - 1)\frac{\partial}{\partial \mu} + \frac{\partial}{\partial \nu}(1 - \nu^2)\frac{\partial}{\partial \nu} + \frac{\mu^2 - \nu^2}{(\mu^2 - 1)(1 - \nu^2)}\frac{\partial^2}{\partial \varphi^2}\right\}. \tag{332}$$

Man kann diese Formen erhalten, wenn man die Gleichungen (262) oder (263) benutzt, wobei die Funktionen (261) oder (264) die Transformationsgleichungen nach (197) oder (197a) bedeuten. Im einzelnen sind Transformationsgleichungen in (190) und (195) angegeben, die elliptische, Kugel- und kartesische Koordinaten ineinander überführen. So folgt zum Beispiel aus (190) und (262) (bzw. (263))

$$\frac{\partial F}{\partial \varphi} = \frac{\partial F}{\partial x}\frac{\partial x}{\partial \varphi} + \frac{\partial F}{\partial y}\frac{\partial y}{\partial \varphi} + \frac{\partial F}{\partial z}\frac{\partial z}{\partial \varphi} \tag{333}$$

mit

$$\frac{\partial x}{\partial \varphi} = -r \sin \vartheta \sin \varphi$$

$$\frac{\partial y}{\partial \varphi} = r \sin \vartheta \cos \varphi \tag{333a}$$

$$\frac{\partial z}{\partial \varphi} = 0,$$

also schließlich

$$-\frac{\partial}{\partial \varphi} = r \sin \vartheta \left\{ \sin \varphi \frac{\partial}{\partial x} - \cos \varphi \frac{\partial}{\partial y} \right\}, \tag{333b}$$

woraus, wegen (190), weiter folgt

$$-\frac{\partial}{\partial \varphi} = y \frac{\partial}{\partial x} - x \frac{\partial}{\partial y}. \tag{333c}$$

Liegt eine Funktion F von M Variablen vor (vgl. (248)), so kann der Differentialoperator in (325) erweitert werden, indem man schreibt

$$D_l = \frac{1}{l!} \left\{ \sum_{j=1}^{M} \left(x_j - x_j^{(0)}\right) \frac{\partial}{\partial x_j} \right\}^l. \tag{334}$$

Mit diesen D_l bleibt die Form von (323) erhalten. Wir haben also die Potenzreihenentwicklung für Funktionen mit M Variablen in der Form

$$F(x_1, \ldots, x_M) = \sum_{l=0}^{\infty} (D_l F)_{x_1^{(0)}, \ldots x_M^{(0)}} \tag{335}$$

mit D_l nach (334).

Ein Beispiel für $M = 2$ sei $F(x, y) = e^{-xy}$. Hier ist

$$\frac{\partial F}{\partial x} = -y e^{-xy}; \qquad \frac{\partial F}{\partial y} = -x e^{-xy};$$
$$\frac{\partial^2 F}{\partial x^2} = y^2 e^{-xy}; \qquad \frac{\partial^2 F}{\partial x \partial y} = e^{-xy}(xy - 1); \qquad \frac{\partial^2 F}{\partial y^2} = x^2 e^{-xy}. \tag{336}$$

Entwickelt man an der Stelle

$$x^{(0)} = y^{(0)} = 0, \tag{336a}$$

so ergeben sich die ersten Glieder nach (323) zu

$$e^{-xy} = 1 - xy + \cdots. \tag{336b}$$

Es gilt also

$$e^{-xy} \approx 1 - xy, \tag{337}$$

wenn xy sehr klein gegen 1 ist

$$xy \ll 1. \tag{337a}$$

In diesem Falle hätten wir (336b) auch erhalten, wenn wir in (312) für x die Funktion $-xy$ geschrieben hätten. Eine bessere Näherung für e^{-xy} wenn xy klein ist, ergibt sich daher zu

$$e^{-xy} \approx 1 - xy + \frac{1}{2}(xy)^2. \tag{337b}$$

Funktionen, die eine andere Funktion für bestimmte Variablenbereiche annähernd darstellen *(Näherungsfunktionen)*, spielen in der Quantenchemie eine große Rolle. Sei F gegeben und sei $\widetilde{F}$ eine Näherungsfunktion zu F, so gilt also

$$F \approx \widetilde{F}\,; \qquad \text{(für bestimmte Variablenbereiche)} \tag{338}$$

Aus (313) ergibt sich zum Beispiel, daß mit

$$\widetilde{F}(x) = \frac{x}{120}(120 - 20x^2 + x^4) \tag{339}$$

die Näherung

$$\sin x \approx \widetilde{F}(x)\,; \qquad (x \ll 1) \tag{339a}$$

gilt.

ϑ) *Unendliche Reihen*

Die Potenzreihen werfen das allgemeine Problem der *unendlichen Reihen* auf. Wir verstehen darunter die unendlichen Summen

$$\sum_{j=0}^{\infty} a_j, \tag{340}$$

wenn die Elemente (Glieder) a_j nach einer *eindeutigen Berechnungsvorschrift* gegeben sind. Beispiel für Bildungsgesetze der a_j haben wir in (11)–(13) kennengelernt, während aber dort Zahlenfolgen vorlagen, sind hier diese Elemente aufzusummieren, wobei es sich bei unendlichen Reihen (Summen) um unendlich viele a_j handelt, die durch den Index j gezählt werden. Eine Reihe heißt *konvergent*, wenn die Teilsummen S_n der Reihe (endliche Reihen)

$$S_n = \sum_{j=0}^{n} a_j \tag{341}$$

für $n \to \infty$ einen endlichen Grenzwert besitzen

$$\lim_{n \to \infty} S_n = S < \infty. \tag{341a}$$

Man nennt S den *Grenzwert der Reihe* (341). Reihen, die diese Eigenschaft nicht haben, nennt man *divergente Reihen!* Reihen, deren Glieder (Elemente) abwechselnd positive und negative Vorzeichen haben, nennen wir *alternierende Reihen*, diese sind schon konvergent, wenn die absoluten Beträge der Elemente monoton gegen Null gehen. Betrachtet man hier die Teilsummen S_n *(Partialsummen)* als Elemente einer Zahlenfolge, so haben diese Werte auf der reellen Zahlenachse einen Häufungspunkt, da sie mit laufendem n sich ineinanderschachteln. Ist eine alternierende Reihe auch dann noch konvergent, wenn alle Glieder mit positiven Zeichen genommen werden, so heißt eine solche *absolut konvergent.* Konvergiert eine Reihe danach nicht mehr, so ist sie *bedingt konvergent*; in diesem Falle kann sogar der Grenzwert von der Anordnung (Reihenfolge) der Glieder abhängig sein!

Beispiele: Nach (319) ist die unendliche Summe (Reihe)

$$1 - \frac{1}{2} + \frac{1}{3} - \frac{1}{4} + \cdots = \sum_{k=0}^{\infty} \frac{1}{k+1}(-1)^k \tag{342}$$

konvergent und besitzt den Wert $\ln 2 = 0{,}693\ldots$ Dagegen divergiert

$$1 + \frac{1}{2} + \frac{1}{3} + \frac{1}{4} + \cdots = \sum_{k=0}^{\infty} \frac{1}{k+1}, \tag{343}$$

da diese Reihe aus (315) folgt, wenn $x \to -1$. Dagegen erhält man z. B. nach einer anderen Reihenfolge der Glieder aus (342) die Reihe

$$S = \left(1 + \frac{1}{3} + \frac{1}{5}\right) - \left(\frac{1}{2} + \frac{1}{4}\right) + \left(\frac{1}{7} + \frac{1}{9} + \frac{1}{11}\right) - \left(\frac{1}{6} + \frac{1}{8}\right) + \cdots, \tag{344}$$

die ebenfalls konvergent ist, da sie alternierend mit immer kleiner werdenden Gliedern ist, wenn wir die Klammerausdrücke jeweils als ein Glied der Summe auffassen. Wir könnten daher für (344) auch schreiben

$$\sum_{k=0}^{\infty} a_k (-1)^k \tag{344a}$$

mit

$$a_k = \frac{1}{f_k} + \frac{1}{f_k + 2} + \frac{1 + (-1)^k}{2(f_k + 4)} \tag{344b}$$

und

$$f_k = \frac{5}{2}k + \frac{1}{2} + (-1)^k \frac{1}{2}(k+1). \tag{344c}$$

Daß (344) nicht den Grenzwert $\ln 2$ hat, erkennt man an den Werten der Teilsummen, die wie folgt beginnen:

$$S_0 = 1{,}533; \quad S_1 = 0{,}783; \quad S_2 = 1{,}128; \quad S_3 = 0{,}836. \tag{344d}$$

Diese Werte schachteln einen Häufungspunkt ein, der nicht $\ln 2$ sein kann, denn nach (344d) haben wir schon

$$0{,}836 \leq S \leq 1{,}128. \tag{344e}$$

Nur absolut konvergente Reihen dürfen wie endliche Summen miteinander multipliziert werden.

Eine Reihe mit *nur positiven Gliedern* ist konvergent, wenn von einem bestimmten Gliede a_{l_0} ab immer

$$\frac{a_{l+1}}{a_l} \leq \sigma < 1; \qquad (l \geq l_0) \tag{345}$$

erfüllt ist. Anders ausgedrückt: Wenn nach (345) ein σ angegeben werden kann, das kleiner als Eins (nicht gleich!) ist. Ebenfalls ist eine Reihe (340) konvergent, wenn

$$\sqrt{|a_l|} \leq \sigma' < 1; \qquad (l \geq l_0) \tag{346}$$

gilt. Auch hier darf nicht $\sigma' = 1$ sein. Die Reihe (343) liefert, wie zu erwarten war

$$\frac{a_{l+1}}{a_l} = \frac{l}{l+1}, \tag{347}$$

so daß

$$\lim_{l \to \infty} \frac{l}{l+1} = 1. \tag{347a}$$

Es gibt also kein σ nach (345)! Beide Konvergenzkriterien (345) und (346) sind *hinreichend*, aber, wie man sagt, *nicht notwendig*, denn sie müssen nicht erfüllt sein, wenn eine Reihe konvergent ist.

Die Potenzreihen stellen unendliche Reihen dar, deren a_j nach (340) noch Potenzen x^j als Faktoren enthalten. Wir können also in (340) schreiben

$$\sum_{j=0}^{\infty} b_j x^j, \tag{348}$$

wenn

$$a_j = b_j x^j. \tag{348a}$$

Die Konvergenzkriterien gelten natürlich für a_j. Nach der Taylorreihe ist noch

$$b_j = \frac{1}{j!} \left. \frac{\mathrm{d}^j F}{\mathrm{d}x^j} \right|_{x=0}, \tag{348b}$$

wenn es sich um die Funktion $F(x)$ handelt, die an der Stelle $x = 0$ entwickelt ist. Betrachten wir die geometrische Reihe

$$\frac{1}{1-x} = 1 + x + x^2 + \cdots = \sum_{j=0}^{\infty} x^j, \tag{349}$$

so folgt aus (345)

$$\frac{x^{l+1}}{x^l} = x < 1, \tag{350}$$

so daß diese Reihe für jedes $o \leq x < 1$ konvergiert. Gehen wir in (349) zu $x = 1$ über, dann wird diese Reihe divergent. Man nennt den Bereich der Variablen, in welchem eine Reihe konvergent ist, den *Konvergenzbereich* der Reihe. Im gleichen Konvergenzbereich kann eine Funktion nur durch *eine unendliche* Potenzreihe dargestellt werden, denn anderenfalls würde man an einer Stelle nach der Darstellung der Taylorreihe verschiedene Ableitungen erhalten! Für die Praxis verwendet man gern Reihen, die „schnell konvergieren", damit meint man Reihen, deren Summe der ersten Glieder schon einen guten Näherungswert für den Grenzwert (oder Funktionswert) der Reihe liefert. Man wird daher die Stelle der Entwicklung möglichst nahe an diejenige Stelle legen, deren Funktionswert man sucht, oder deren Umgebung man für die Untersuchungen benötigt. Oft erhält man z. B. nach gewissen Verfahren der Quantenchemie unendliche Reihen und kennt nicht die dazugehörige Funktion bzw. den Wert (Funktionswert). In diesem Falle sind Konvergenzbetrachtungen (wenn möglich) sehr von Nutzen.

Reihen, für die (341a) nicht erfüllt ist, nannten wir divergent. Es existiert in diesem Falle kein Grenzwert nach (341a). Dennoch kann man gewissen (nicht allen) divergenten Reihen gewisse Werte sinnvoll *zuordnen*. Diese Reihen nennt man *limitierbare unendliche Reihen*. Definieren wir die Größen $h_n^{(m)}$ in der folgenden Weise:

$$h_n^{(m)} = \begin{cases} S_n; & m = 0 \\ \dfrac{1}{n+1} \sum\limits_{\nu=0}^{n} h_\nu^{(m-1)}; & m \geq 1, \end{cases} \tag{351}$$

so heißt eine Reihe $h^{(m)}$-limitierbar, wenn

$$\lim_{n \to \infty} h_n^{(m)} = S^{(m)} < \infty \tag{352}$$

gilt. Danach sind konvergente Reihen $h^{(0)}$-limitierbar! Sie haben also einen Summenwert (als Grenzwert) der nach (341a) gegeben ist und mit (352) *übereinstimmt*, wenn dort $m = 0$ gesetzt wird.

Die Reihe

$$3 - \frac{9}{2} + \frac{27}{3} - \frac{81}{4} + \cdots = \sum_{k=1}^{\infty} \frac{3^k}{k} (-1)^{k+1} \tag{353}$$

besitzt keinen Summenwert nach (341a), ist also divergent. Nach (351) ist aber (353) noch limitierbar und erhält den Wert ln4 zugeordnet. Dergleichen bei der Reihe

$$1 - 1 + 1 - 1 + \cdots = \sum_{k=0}^{\infty} (-1)^k, \tag{354}$$

die $h^{(1)}$-limitierbar ist und den Wert 1/2 erhält. Aus (315) folgt, daß (353) die Reihe des $\ln(1+x)$ an der Stelle $x = 3$ darstellt. In (354) liegt die geometrische Reihe (349) für $x = -1$ vor, so daß die Vorschriften (351) die beiden Seiten einer Reihenentwicklung einander zuordnen, wenn diese Reihendarstellungen selbst nicht mehr konvergent im üblichen Sinne sind. In der Praxis kann ebenfalls mit diesen Limitierungswerten gerechnet werden, wenn man die entwickelte Funktion nicht kennt! –

ι) *Differentialgleichungen*

Funktionen F können auch durch

$$DF = 0 \tag{355}$$

gegeben sein, indem D, wie oben, einen bestimmten Differentialoperator bedeutet. Wir nennen (355) eine *Differentialgleichung* für F. Enthält D nur Ableitungen nach einer Variablen ($F \equiv F(x)$), so heißt (355) eine *gewöhnliche Differentialgleichung*. Eine *partielle Differentialgleichung* liegt vor, wenn D auch partielle Ableitungen enthält; es ist dann $F \equiv F(x_1, ..., x_M)$. Eine Differentialgleichung ist von P-ter Ordnung, wenn höchstens P-fache Ableitungen vorkommen. Um F zu erhalten, muß (355) gelöst werden. *Als Lösung einer Differentialgleichung versteht man eine in jedem Punkte des Definitionsbereiches der Differentialgleichung ausreichend oft differenzierbare Funktion, welche die Differentialgleichung erfüllt.*

Beispiel:

$$\frac{\mathrm{d}F}{\mathrm{d}x} + F = 0; \qquad \left(D = \frac{\mathrm{d}}{\mathrm{d}x} + 1\right). \tag{356}$$

Die Lösungen von (356) sind (vgl. (269))

$$F(x) = Ae^{-x}, \tag{356a}$$

wobei die Konstante A beliebig sein kann. Differentialgleichung (356) ist von erster Ordnung. Die Lösungen von

$$\frac{\mathrm{d}^2 F}{\mathrm{d}x^2} + F = 0; \qquad \left(D = \frac{\mathrm{d}^2}{\mathrm{d}x^2} + 1\right) \tag{357}$$

sind

$$F(x) = A \cos x \tag{357a}$$

und

$$F(x) = B \sin x, \tag{357b}$$

wobei wieder A und B beliebig sein können. (357) ist von zweiter Ordnung. Lösungen, die die freien Konstanten beliebig voraussetzen, nennt man die *allgemeinen Lösungen*. Sind die Lösungen mit bestimmten Konstanten angesetzt, so spricht man von *partikulären Lösungen*. Die allgemeine Lösung einer Differentialgleichung enthält so viele Konstanten, wie die Ordnung der Differentialgleichung angibt! Nach (357 a,b) ist

$$F(x) = A \cos x + B \sin x \tag{357c}$$

die allgemeinste Lösung von (357). Eine Differentialgleichung wird als linear bezeichnet, wenn alle Ableitung der Funktion in ihr linear, also mit der ersten Potenz vorkommen. Es treten also keine Produkte von Ableitungen auf. Die Gleichung

$$\frac{d^2F}{dx^2} + g(x)\frac{dF}{dx} + f(x)F = 0; \qquad \left(D = \frac{d^2}{dx^2} + g(x)\frac{d}{dx} + f(x)\right) \tag{358}$$

ist somit linear, ebenfalls

$$\frac{\partial^2 F}{\partial x_1^2} + \frac{\partial^2 F}{\partial x_2^2} + \frac{\partial^2 F}{\partial x_3^2} + f(x_1, x_2, x_3)F = 0, \qquad (D = \Delta + f(x_1, x_2, x_3)). \tag{359}$$

Dagegen ist die Differentialgleichung

$$\frac{d^2F}{dx^2} + \left(\frac{dF}{dx}\right)^2 = 0; \qquad \left(D = \frac{d^2}{dx^2} + \left(\frac{d}{dx}\right)^2\right), \tag{360}$$

wie man sagt, quadratisch, denn F' tritt darin quadratisch auf.

Liegen die partikulären Lösungen

$$F_1, F_2, F_3, \ldots \tag{361}$$

einer *linearen* Differentialgleichung vor, so ergibt sich die *allgemeinste Lösung* als Linearkombination

$$F = \sum_j A_j F_j\,, \tag{362}$$

wobei die A_j beliebig sein können. *Fast alle Differentialgleichungen der Theoretischen Chemie sind linear und von der Form (355)*, die wir, im Gegensatz zu

$$DF = a; \qquad (a \neq 0) \tag{363}$$

als eine homogene Differentialgleichung ($a \equiv 0$) bezeichnen. (363) heißt eine *inhomogene Differentialgleichung* Man kann die Funktionen in (361) als linear unabhängig annehmen.

ϰ) *Eigenwertprobleme*

Die Mannigfaltigkeit der Lösungen wird in der Praxis dadurch sehr eingeschränkt, daß man an die Lösungen bestimmte Bedingungen stellt. So kann zum Beispiel von den Lösungen in (357) verlangt werden, daß

$$F(0) = 0; \qquad \left.\frac{dF}{dx}\right|_{x=0} = 1 \tag{357d}$$

sein soll. Von den beiden Lösungen in (357a,b) kommt daher nur (357b) in Frage, wobei wegen der zweiten Forderung in (357c) $B = 1$ sein muß. Wir hätten die gleichen Betrachtungen auch an der allgemeinen Lösung

$$F(x) = A\cos x + B\sin x \tag{357c}$$

von (357) durchführen können.

Die durch ein vorliegendes Problem gegebenen Bedingungen an die Lösungen einer Differentialgleichung schränken die Mannigfaltigkeit der Lösungen ein und führen in der Regel zu einer ganz bestimmten Lösung von (355)!

In der Regel sind die Forderungen an die Lösungen an den Rändern des Definitionsbereiches (Koordinatenbereich) der Differentialgleichung gegeben, so daß man von *Randbedingungen* spricht, die an die Lösungen gestellt werden. Es kann vorkommen, daß für gewisse Randbedingungen keine Lösungen existieren, also die allgemeine Lösung die Randbedingungen nicht erfüllen kann; während andere Randbedingungen (bei gleicher Differentialgleichung) von der allgemeinen Lösung befriedigt werden können.

Beispiel:

Bei der monomolekularen Zerfallsreaktion der Molekülart A in B und C

$$A \xrightarrow{k} B + C \tag{364}$$

gilt für die Konzentrationen

$$\begin{aligned} \frac{\mathrm{d}[A]}{\mathrm{d}t} &= -k[A] \\ \frac{\mathrm{d}[B]}{\mathrm{d}t} &= k[A] \\ \frac{\mathrm{d}[C]}{\mathrm{d}t} &= k[A], \end{aligned} \tag{364a}$$

wobei k die Geschwindigkeitskonstante des Zerfalls ist. Gesucht sind also die Konzentrationen als Funktionen der Zeit t. Aus der ersten Differentialgleichung in (364a) ergibt sich als allgemeine Lösung

$$[A] = \alpha e^{-kt}, \tag{364b}$$

in der noch α beliebig ist. Wenn am Beginn der Reaktion, die wir in den Zeitpunkt $t = 0$ legen, die Anfangskonzentration $[A]_0$ vorliegen soll, so ist α festgelegt und beträgt

$$\alpha = [A]_0. \tag{364c}$$

Damit gehen die zweiten Gleichungen in (364a) über in

$$\frac{d[B]}{dt} = k[A]_0 e^{-kt}$$
$$\frac{d[C]}{dt} = k[A]_0 e^{-kt}, \tag{364d}$$

die gleich sind (es muß sein: $[B] = [C]$) und daher die gleiche Lösung haben. Diese lautet (allgemein)

$$[B] = [C] = -[A]_0 e^{-kt} + \beta, \tag{364e}$$

wenn wieder β vorerst beliebig ist. Soll für $t = 0$ (Anfang) kein Molekül von B und C vorliegen, so muß

$$\beta = [A]_0. \tag{364f}$$

sein, und wir haben

$$[A] = [A]_0 e^{-kt}; \qquad [B] = [C] = [A]_0 \{1 - e^{-kt}\}. \tag{364g}$$

In *zeitlicher* Hinsicht spricht man von *Anfangsbedingung* (statt Randbedingung) an die Lösungen, wie das hier soeben der Fall gewesen ist.
Fast immer handelt es sich um chemisch oder physikalisch sinnlose Bedingungen, wenn die allgemeine Lösung diese nicht erfüllen kann, oder es handelt sich dann um die triviale Lösung $F \equiv 0$ in (355), die wir als Lösung ausschließen, wie dies auch analog bei den homogenen linearen Gleichungssystemen der Fall gewesen ist. Hätte man verlangt, daß für $t = 0$ $[A]_0 = 0$ sein soll, so hätte sich nach (364c) und (364b) die Lösung $[A] \equiv 0$ ergeben. Dieser Zustand wäre zwar bei dem obigen Beispiel für $t \to \infty$ eingetreten; die Forderung $[A] = 0$ für $t = 0$ erfaßt aber nicht den Reaktionsvorgang.
Das Auffinden der Lösungen von Differentialgleichungen ist in den meisten Fällen ein ziemlich schwieriges mathematisches Unternehmen, in vielen Fällen kennen wir die exakten Lösungen gar nicht, so daß man darauf angewiesen ist, zu Näherungen zu gelangen, die die exakten Lösungen in den gewünschten Koordinatenbereichen approximieren (vgl. (338)).
Eine für die theoretischen Naturwissenschaften wichtige Form der homogenen Differentialgleichungen (gewöhnlich und partiell) ist

$$(D - \lambda)F = 0; \qquad (\text{bzw. } DF = \lambda F), \tag{365}$$

in der der Zahlenwert λ vorerst noch frei ist (D ist dagegen fest vorgegeben). Die Lösungen (allgemeine Lösungen) enthalten somit noch den Parameter λ! *Werden an diese Lösungen wieder sich aus den Problemen ergebende Bedingungen gestellt,* so kann es vorkommen, daß *nur für bestimmte* (diskrete) λ-Werte, den Bedingungen genügende, Lösungen existieren

$$\begin{matrix} \lambda_1 & : & F_1 \\ \lambda_2 & : & F_2 \\ \vdots & & \vdots \\ \lambda_k & : & F_k \\ \vdots & & \vdots \end{matrix} \tag{366}$$

Daneben können aber auch noch für bestimmte λ-Bereiche die Lösungen von der Form

$$F = F(\lambda) \tag{367}$$

gegeben sein, in der λ alle Werte annehmen kann. Man nennt die λ_j in (366) die *Eigenwerte* des Problems und die dazugehörigen Funktionen (Lösungen) sind die *Eigenfunktionen.* Die Differentialgleichung (365) zusammen mit den dazugehörigen Bedingungen an die Lösungen stellen das sogenannte *Eigenwertproblem* dar. Man spricht auch von dem *Spektrum* der λ-Werte in (366) und (367), wobei im letzten Fall ein sogenanntes *kontinuierliches Spektrum* (Kontinuum) vorliegt.
Ein Beispiel sei durch das Eigenwertproblem

$$\frac{d^2 F}{d x^2} = \lambda F; \qquad F(0) = F(l) = 0; \qquad \left(D = \frac{d^2}{d x^2}\right) \tag{368}$$

gegeben. Die allgemeinste Lösung lautet nach (357a,b) und (362)

$$F(x) = \alpha \cos x\sqrt{\lambda} + \beta \sin x\sqrt{\lambda}\,. \tag{368a}$$

Wegen den Randbedingungen in (368) muß

$$F(0) = \alpha = 0 \tag{368b}$$

$$F(l) = \alpha \cos l\sqrt{\lambda} + \beta \sin l\sqrt{\lambda} = 0 \tag{368c}$$

sein. (368b) in (368c) eingesetzt liefert

$$\sin l\sqrt{\lambda} = 0, \tag{368d}$$

woraus sich, bei vorgegebenem l nach (368), die Eigenwerte λ_k zu

$$\lambda_k = \left(\frac{k\pi}{l}\right)^2; \qquad (k = 1, \ldots) \tag{368e}$$

ergeben, denn (368d) kann nur erfüllt sein, wenn

$$l\sqrt{\lambda} = k\pi. \tag{368f}$$

In der Form (366) haben wir also

$$\begin{array}{lcl} \left(\frac{\pi}{l}\right)^2 : & & F_1 = \beta_1 \sin \frac{\pi}{l} x \\ \frac{4\pi^2}{l^2} : & & F_2 = \beta_2 \sin \frac{2\pi}{l} x \\ \vdots & \vdots & \vdots \\ \left(\frac{k\pi}{l}\right)^2 : & & F_k = \beta_k \sin \frac{k\pi}{l} x \\ \vdots & \vdots & \vdots . \end{array} \tag{368g}$$

Es liegt hier daneben kein Kontinuum der λ-Werte vor. Die β_k in (368g) sind allerdings noch frei; sie können durch weitere Forderungen an die F_k bestimmt werden, die sich aus dem jeweils vorliegenden Problem ergeben. Hätte an Stelle von (368) das Eigenwertproblem

$$\frac{d^2F}{dx^2} = \lambda F; \qquad F(0) = \left.\frac{dF}{dx}\right|_{x=0} = 0 \tag{369}$$

vorgelegen, so hätten sich keine Eigenwerte ergeben, denn aus der allgemeinen Lösung (368a) ergibt sich mit den Bedingungen von (369)

$$\begin{aligned} F(0) &= \alpha = 0 \\ \left.\frac{dF}{dx}\right|_0 &= \beta\sqrt{\lambda} = 0, \end{aligned} \tag{369a}$$

also $\alpha = \beta = 0$ in (368a). Es existieren also keine Lösungen für (369)! Ein jeweils vorliegendes *Eigenwertproblem ist* daher *nur vollständig* formuliert, *wenn die dazugehörenden Bedingungen an die Lösungen der Differentialgleichung angegeben sind.*

Aufg. 7 Für den sogenannten Integrallogarithmus $-Ei(x) = \int_{-1}^{\infty} \frac{e^{-xz}}{z} dz$ läßt sich die Entwicklung

$$\frac{1}{x} e^x \left(1 + \frac{1}{x} + \frac{2!}{x^2} + \frac{3!}{x^3} + \cdots\right)$$

angeben. Ist diese Reihe konvergent?

Aufg. 8 Gegeben sei das Eigenwertproblem

$$-\frac{d^2y}{dx^2}+x^2y=\lambda y,$$

wobei die Randbedingungen an $y(x)$ verlangen, daß $y(x)$ für $|x|\to\infty$ verschwindet. Eine Lösung der Gleichung ist danach

$$y(x)=e^{-\frac{1}{2}x^2}$$

mit dem Eigenwert $\lambda=1$. Man setze allgemein $y(x)=f(x)e^{-\frac{1}{2}x^2}$ in die Gleichung ein und stelle die Differentialgleichung für $f(x)$ auf. Dann löse man diese durch den Ansatz

$$f(x)=\sum_{j=0}^{\infty}a_jx^j$$

und stelle durch x-Potenzenvergleich die Rekursionsformeln (Beziehungen zwischen den a_j) für die a_j auf. Da $f(x)$ ein endliches Polynom sein muß, wenn die Randbedingungen erfüllt sein sollen, liefern diese Forderungen an $f(x)$ (Verschwinden aller a_j ab einem bestimmten a_n) die dazugehörigen Eigenwerte λ_n. Wie lauten diese? Ist $\lambda=1$ der tiefste Eigenwert?

e) Integralrechnung

Das Integral einer Funktion $f(x)$ in der Form

$$\mathcal{J}=\int_a^b f(x)\,dx;\qquad (a\le x\le b)\tag{370}$$

ist der Grenzwert einer Summe

$$\mathcal{J}=\lim_{n\to\infty}\sum_{j=1}^{n}f(x_j)\Delta_jx,\tag{370a}$$

in welcher die Werte x_j im Intervall Δ_jx liegen, wobei die Summe von allen Intervallen den Bereich $a\le x\le b$ erfaßt

$$\sum_{j=1}^{n}\Delta_jx=b-a.\tag{370b}$$

Der x-Bereich zwischen a und b ist somit nach (370a) in n Intervalle Δ_jx unterteilt worden, die im Grenzwert gegen Null gehen, gleichzeitig muß die Gliederanzahl in der Summe wachsen und wird zu einer unendlichen Summe, mit verschwindenden Gliedern. Die Voraussetzung (370b) bleibt also im Grenzübergang erhalten

$$\lim_{n\to\infty}\sum_{j=1}^{n}\Delta_jx=b-a.\tag{370c}$$

Die Abb. 30 zeigt die Verhältnisse graphisch,

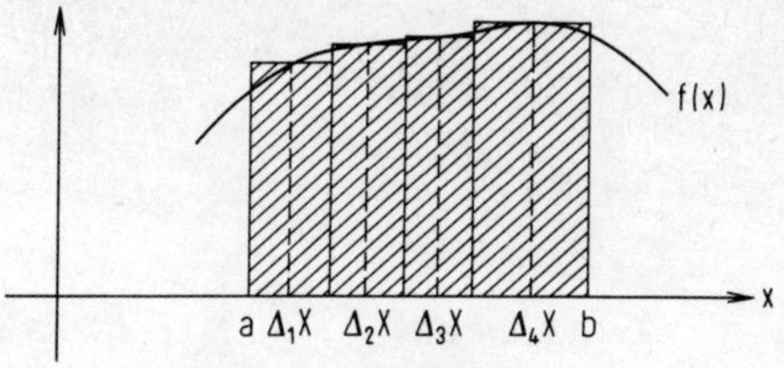

Abb. 30

wenn vier Intervalle angenommen werden; die $f(x_j)$-Werte sind durch die Länge der punktierten Geraden angegeben worden. Ihre Lage in den Intervallen, sowie die Breite der Intervalle kann beliebig sein. Die Summe

$$\sum_{j=1}^{4} f(x_j)\,\Delta_j x \tag{371}$$

stellt somit die Summe der Flächen der einzelnen Rechtecke $f(x_j)\ \Delta_j x$ dar, die in Abb. 30 schraffiert worden sind. Im Grenzübergang (370a) geht diese Fläche in diejenige über, die von der Kurve $f(x)$ (zwischen $x = a$ und $x = b$), der x-Achse, und von den Geraden $x = a$ und $x = b$ eingeschlossen wird (Abb. 31).

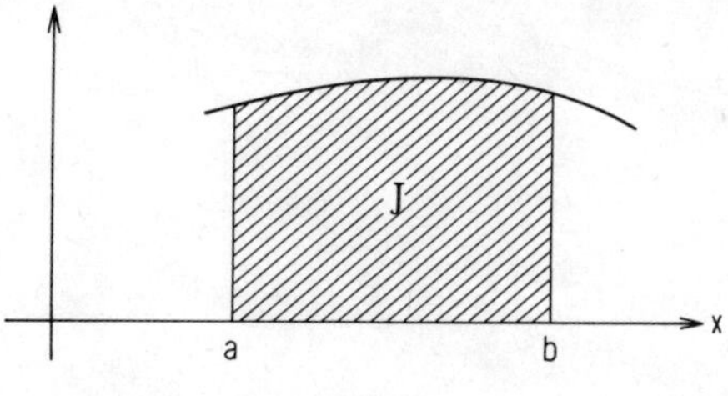

Abb. 31

Da Aufteilungen des Integrationsintervalls zum gleichen Ergebnis führen müssen, so haben wir

$$\mathcal{J} = \int_a^b f(x)\,\mathrm{d}x = \int_a^\alpha f(x)\,\mathrm{d}x + \int_\alpha^\beta f(x)\,\mathrm{d}x + \int_\beta^b f(x)\,\mathrm{d}x \tag{372a}$$

und

$$\int_a^\alpha f(x)\,\mathrm{d}x + \int_\alpha^a f(x)\,\mathrm{d}x = 0\,. \tag{372b}$$

In entsprechender Weise ist bei den sogenannten mehrfachen Integralen vorzugehen. Hier ist also

$$\mathcal{J} = \int_a^b \int_c^d f(x_1, x_2)\,\mathrm{d}x_1\,\mathrm{d}x_2 = \lim_{\substack{n\to\infty\\ m\to\infty}} \sum_{i=1}^{n} \sum_{j=1}^{m} f(x_{1i}, x_{2j})\Delta_i x_1 \Delta_j x_2, \tag{373}$$

oder

$$\mathcal{J} = \int_a^b \int_c^d \int_f^g f(x_1, x_2, x_3)\,\mathrm{d}x_1\,\mathrm{d}x_2\,\mathrm{d}x_3 = \lim_{\substack{n\to\infty\\ m\to\infty\\ p\to\infty}} \sum_{i=1}^{n} \sum_{j=1}^{m} \sum_{k=1}^{p} f(x_{1i}, x_{2j}, x_{3k})\Delta_i x_1 \Delta_j x_2 \Delta_k x_3. \tag{374}$$

Funktionen f, für die diese Grenzwerte in den Integrationsbereichen (a und b in (370); a, b und c, d in (373), usw.) existieren, nennt man *integrierbare Funktionen für die jeweiligen Bereiche.*

Alle Integrale in (370), (372) und (373) sind, da sie zwischen bestimmten Grenzen der Integrationsvariablen auszufüllen sind, *bestimmte Integrale* und stellen somit Zahlenwerte dar. Haben wir dagegen

$$\mathcal{J}(x') = \int_a^{x'} f(x)\,\mathrm{d}x, \tag{375}$$

so ergibt sich das Integral als eine Funktion (hier von x'). Nach (Abb. 30) ist es die Fläche von a bis x', wenn $f(x)$ vorliegt (Abb. 32).

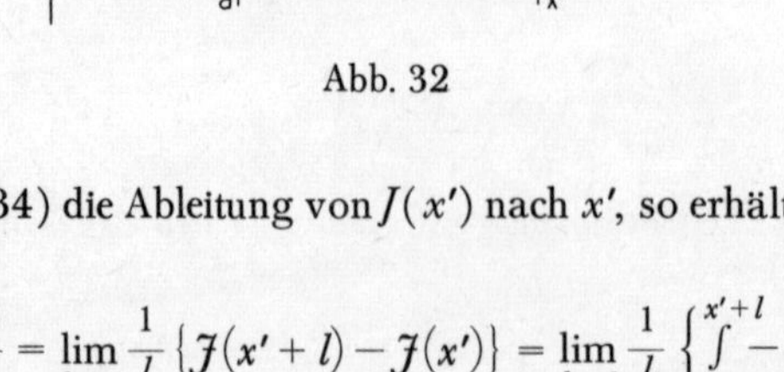

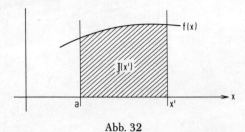

Abb. 32

Bildet man nach (234) die Ableitung von $J(x')$ nach x', so erhält man den Ausdruck

$$\frac{\mathrm{d}\mathcal{J}(x')}{\mathrm{d}x'} = \lim_{l\to\infty} \frac{1}{l}\left\{\mathcal{J}(x'+l) - \mathcal{J}(x')\right\} = \lim_{l\to 0} \frac{1}{l}\left\{\int_a^{x'+l} - \int_a^{x'}\right\}, \tag{376}$$

der nach (372) in

$$\frac{\mathrm{d}\mathcal{J}(x')}{\mathrm{d}x'} = \lim_{l\to 0} \frac{1}{l} \int_{x'}^{x'+l} f(x)\,\mathrm{d}x \tag{376a}$$

übergeht. Nach (310) entwickeln wir $f(x)$ an der Stelle x' und erhalten

$$\begin{aligned}\frac{\mathrm{d}\mathcal{J}(x')}{\mathrm{d}x'} &= \lim_{l\to 0}\frac{1}{l}\int\limits_{x'}^{x'+l}\left\{f(x') + l\left.\frac{\mathrm{d}f}{\mathrm{d}x}\right|_{x'} + \cdots\right\}\mathrm{d}x \\ &= \lim_{l\to 0}\left[\frac{1}{l}f(x')\int\limits_{x'}^{x'+l}\mathrm{d}x + \left.\frac{\mathrm{d}f}{\mathrm{d}x}\right|_{x'}\int\limits_{x'}^{x'+l}\mathrm{d}x + \cdots\right].\end{aligned} \tag{376b}$$

Da

$$\int\limits_{x'}^{x'+l}\mathrm{d}x = l, \tag{376c}$$

so nimmt (376b) die Form an

$$\frac{\mathrm{d}\mathcal{J}(x')}{\mathrm{d}x'} = \lim_{l\to 0}\left\{f(x') + l\left.\frac{\mathrm{d}f}{\mathrm{d}x}\right|_{x'} + \cdots\right\}, \tag{376d}$$

so daß, da alle weiteren Glieder in der Summe höhere Potenzen von l erhalten,

$$\frac{\mathrm{d}\mathcal{J}(x')}{\mathrm{d}x} = f(x') \tag{377}$$

übrig bleibt. *Das Integrieren ist somit die zum Differenzieren entgegengesetzte Rechenoperation!*

Schreiben wir das *unbestimmte Integral* (ohne Grenzen im Integral) in der Form

$$F(x) = \int f(x)\,\mathrm{d}x, \tag{378}$$

so ist damit eine Funktion $F(x)$ gesucht, deren Ableitung $f(x)$ liefert. Man nennt $f(x)$ den *Integrand* im Integral (378). *Das Integrieren kann als eine Umkehrung des Differenzierens aufgefaßt werden!*

Die Funktion $F(x)$ in (378) ist allerdings bis auf eine additive Konstante C (die beliebig sein kann) unbestimmt, denn es gilt nach (377) auch

$$\frac{\mathrm{d}}{\mathrm{d}x}(F(x) + C) = \frac{\mathrm{d}F}{\mathrm{d}x} = f(x) \tag{378a}$$

Wir haben also allgemeiner an Stelle von (378) zu schreiben

$$F(x) + C = \int f(x)\,\mathrm{d}x. \tag{379}$$

Geht man wieder zum bestimmten Integral (375) über, so ergibt sich dort

$$\mathcal{J}(a) = \int\limits_{a}^{a} f(x)\,\mathrm{d}x = 0, \tag{380}$$

aber aus (378a) und (377) folgt, daß

$$\frac{dF}{dx'} = \frac{d\mathcal{J}}{dx'} \tag{381}$$

sein muß, und daraus weiter

$$F(x') + C = \mathcal{J}(x') \tag{382}$$

mit einer noch freien Konstanten. Diese ergibt sich wegen (380) zu

$$C = -F(a), \tag{383}$$

so daß (mit (375))

$$F(x') - F(a) = \mathcal{J}(x') = \int_a^{x'} f(x)\,dx \tag{384}$$

gilt.

Das Integral J in (370) ergibt sich danach zu

$$F(b) - F(a) = \int_a^b f(x)\,dx. \tag{385}$$

Man kürzt zuweilen die Differenz in (385) ab durch

$$F(b) - F(a) = F(x)\Big|_a^b. \tag{385a}$$

α) Integration einfacher Funktionen

Nach (379) mit (263) bis (277) lassen sich einige unbestimmte Integrale leicht angeben:

$$\int x^n\,dx = \frac{1}{n+1}x^{n+1} + C; \qquad (n \neq -1), \text{ siehe } (390) \tag{386}$$

$$\int \cos x\,dx = \sin x + C \tag{387}$$

$$\int \sin x\,dx = -\cos x + C \tag{388}$$

$$\int e^x\,dx = e^x + C \tag{389}$$

$$\int \frac{1}{x}\,dx = \ln x + C \tag{390}$$

$$\int a^x\,dx = \frac{a^x}{\ln a} + C \tag{391}$$

$$\int \frac{1}{\sqrt{1-x^2}}\,dx = \arcsin x + C \tag{392}$$

$$\int \frac{1}{1+x^2}\,\mathrm{d}x = \operatorname{arctg}\ x + C \tag{393}$$

$$\int \sinh x\,\mathrm{d}x = \cosh x + C \tag{394}$$

$$\int \cosh x\,\mathrm{d}x = \sinh x + C. \tag{395}$$

Aus (272) und (273) folgt, daß arc sin x und arc cos x nur um eine Konstante verschieden sein können. Tatsächlich gilt

$$\arcsin x = -\arccos x + \frac{\pi}{2}, \tag{396}$$

sowie auch

$$\operatorname{arctg} x = -\operatorname{arcctg} x + \frac{\pi}{2}, \tag{397}$$

so daß es genügt (392) und (393) anzugeben. Weiter folgt aus (242), (243), (244) und (246a)

$$\int c f(x)\,\mathrm{d}x = c \int f(x)\,\mathrm{d}x \tag{398}$$

$$\int [f_1(x) \pm f_2(x)]\,\mathrm{d}x = \int f_1(x)\,\mathrm{d}x \pm \int f_2(x)\,\mathrm{d}x \tag{399}$$

$$\int f_1(x)\,\frac{\mathrm{d}f_2(x)}{\mathrm{d}x}\,\mathrm{d}x = f_1(x) f_2(x) - \int \frac{\mathrm{d}f_1(x)}{\mathrm{d}x} f_2(x)\,\mathrm{d}x \tag{400}$$

(partielle Integration)

und

$$\int f(u)\,\frac{\mathrm{d}u}{\mathrm{d}x}\mathrm{d}x = F(u(x)) + C. \tag{401}$$

Ein allgemein brauchbares Integrationsverfahren gibt es, im Gegensatz zur Differentiation, nicht. Man ist daher oft auf Näherungsverfahren angewiesen, die ein $F \approx \widetilde{F}$ zu erhalten versuchen. Gelingt es zum Beispiel $f(x)$ nach (310) in eine Reihe zu entwickeln, so ergibt sich

$$\int f(x)\,\mathrm{d}x = C + (x - x_0) f(x_0) + \frac{(x-x_0)^2}{2!}\,\frac{\mathrm{d}f}{\mathrm{d}x}\bigg|_{x_0} + \frac{(x-x_0)^3}{3!}\,\frac{\mathrm{d}^2 f}{\mathrm{d}x^2}\bigg|_{x_0} + \cdots. \tag{402}$$

Der Abbruch der Reihe liefert dann eine Näherung für das Integral, wobei die Konvergenz der Reihe im Integrationsbereich gesichert sein muß. Ist das Restglied allerdings bekannt, so kann sogar der Fehler der Approximation abgeschätzt werden! Alles bisher Gesagte gilt sinngemäß auch für mehrfache Integrale, indem die Integrationsregeln jeweils auf *eine* Koordinate (über die gerade integriert wird) angewendet werden, oder eine Potenzreihenentwicklung nach (335) für den Integranden angesetzt wird!

Allgemein geht die mehrfache Integration wie folgt vor sich:

$$\begin{aligned} \mathcal{J} &= \int_a^b \int_{g(x_1)}^{h(x_1)} f(x_1, x_2)\,\mathrm{d}x_1\,\mathrm{d}x_2 = \int_a^b \Big(\int_{g(x_1)}^{h(x_1)} f(x_1, x_2)\,\mathrm{d}x_2 \Big)\,\mathrm{d}x_1 \\ &= \int_a^b \{F(x_1, h(x_1)) - F(x_1, g(x_1))\}\,\mathrm{d}x_1, \end{aligned} \tag{403}$$

wenn F das unbestimmte Integral von $f(x_1,x_2)$ bezüglich x_2 ist! Bei M Variablen (M-fache Integration) sind diese Schritte entsprechend mehrfach durchzuführen. Für die Funktionen h und g in (403) können auch Konstante eingesetzt werden. Hat $f(x_1, \ldots, x_M)$ die Form

$$f = f_1(x_1) f_2(x_2) \ldots f_M(x_M), \tag{404}$$

so zerfällt das Integral über f in ein Produkt von *gewöhnlichen Integralen* (Integrale über eine Funktion von einer Variablen)

$$\int \ldots \int f\,\mathrm{d}x_1 \ldots \mathrm{d}x_M = \int f_1(x_1)\,\mathrm{d}x_1 \int f_2(x_2)\,\mathrm{d}x_2 \ldots \int f_M(x_M)\,\mathrm{d}x_M. \tag{405}$$

β) *Koordinatentransformationen*

Wichtig ist der Übergang zu einem anderen Koordinatensystem in einem Integral, der dessen Wert nicht ändern kann. Geht man etwa nach

$$x = x(x'); \qquad x' = x'(x) \tag{406}$$

von x zu x' über, so ist

$$\int_a^b f(x)\,\mathrm{d}x = \int_{x'(a)}^{x'(b)} f(x(x')) \left(\frac{\mathrm{d}x}{\mathrm{d}x'} \right) \mathrm{d}x', \tag{407}$$

in dem die neuen Integrationsgrenzen nach (406) beachtet werden und (406) in das erste Integral von (407) eingesetzt wird.
Allgemein gilt

$$\begin{aligned} &\int f(x_1, \ldots, x_M)\,\mathrm{d}x_1 \ldots \mathrm{d}x_M \\ &= \int \ldots \int f(x_1(x_1', \ldots, x_M'), \ldots, x_M(x_1, \ldots, x_M)) \frac{\partial(x_1, \ldots, x_M)}{\partial(x_1', \ldots, x_M')}\,\mathrm{d}x_1' \ldots \mathrm{d}x_M', \end{aligned} \tag{408}$$

wenn die Transformationsgleichungen (vgl. etwa (197))

$$\begin{aligned} x_1 &= x_1(x_1', \ldots, x_M') \\ x_2 &= x_2(x_1', \ldots, x_M') \\ &\;\;\vdots \\ x_M &= x_M(x_1', \ldots, x_M') \end{aligned} \tag{408a}$$

vorliegen und

$$\frac{\partial(x_1, \ldots, x_M)}{\partial(x_1', \ldots, x_M')} = \begin{vmatrix} \dfrac{\partial x_1}{\partial x_1'} & \cdots & \dfrac{\partial x_1}{\partial x_M'} \\ \vdots & & \vdots \\ \dfrac{\partial x_M}{\partial x_1'} & \cdots & \dfrac{\partial x_M}{\partial x_M'} \end{vmatrix} \tag{409}$$

bedeutet. Für $M = 1$ gehen (408) und (408a) in (406) und (407) über. Werden die Transformationsgleichungen (408a) nach den gestrichenen Koordinaten aufgelöst (vgl. den Übergang von (197) nach (197a)), so können die Integrationsgrenzen in den neuen Koordinaten $x_1', \ldots, x_M'$ berechnet werden.

Die Transformationsgleichungen von den kartesischen Koordinaten zu den zylindrischen, Kugel- und elliptischen Koordinaten liegen in (187), (187a), (190), (190a) und (195) vor. Danach ergibt sich

$$\frac{\partial(x, y, z)}{\partial(\varrho, z, \varphi)} = \varrho \tag{410}$$

$$\frac{\partial(x, y, z)}{\partial(r, \vartheta, \varphi)} = -r^2 \sin \vartheta \tag{411}$$

$$\frac{\partial(x, y, z)}{\partial(\mu, \nu, \varphi)} = \left(\frac{R}{2}\right)^3 (\mu^2 - \nu^2). \tag{412}$$

Die Variabilitätsbereiche dieser Koordinaten, die den Integrationsgrenzen entsprechen, wenn über den ganzen Raum integriert wird, wie in (192) angegeben, waren in (193), (194) und (196) aufgeschrieben. Man erhält sie allgemein aus den Transformationsgleichungen, wenn die Grenzen der x-, y- und z-Koordinaten eingesetzt werden.

Man nennt (409) die *Funktionaldeterminante* der Transformation (408a); wenn sie Null wird, was die Integration in (408) nicht mehr möglich macht, so bedeutet dies, daß das neue Koordinatensystem nicht mehr so viel unabhängige (freie) Koordinaten besitzt wie das ursprüngliche und für eine Verwendung nicht in Frage kommen kann. *Die Transformationsgleichungen müssen eindeutig umkehrbar sein.*

γ) *Uneigentliche Integrale*

Liegt in einem Integral ein unendlicher Integrationsbereich vor, oder bleibt der Integrand im Integrationsbereich nicht in allen Punkten endlich, so liegt ein sogenanntes *uneigentliches Integral* vor. Sein Wert muß durch einen Grenzübergang bestimmt werden, andernfalls kann man zu falschen Werten geführt werden. Ein Beispiel ist

$$\int_{-a}^{b} \frac{\mathrm{d}x}{x^4} \tag{413}$$

Würde man nach (385) verfahren, so ergäbe sich ein Wert von

$$F(b) - F(-a) = -\frac{1}{3}\left[\frac{1}{a^3} + \frac{1}{b^3}\right], \tag{414}$$

weil

$$F(x) = -\frac{1}{3x^3} \tag{414a}$$

nach (386). Da der Integrand aber für $x \to 0$ *unendlich groß wird*, (Pol der Funktion), muß diese Stelle gesondert untersucht werden, indem man schreibt (nach (372))

$$\begin{aligned}\int_{-a}^{b} \frac{1}{x^4}\,\mathrm{d}x &= \lim_{l \to 0}\left\{\int_{-a}^{-l} \frac{1}{x^4}\,\mathrm{d}x + \int_{+l}^{b} \frac{1}{x^4}\,\mathrm{d}x\right\}; \qquad (l > 0)\\ &= \lim_{l \to 0}\left\{-\frac{1}{3x^3}\bigg|_{-a}^{-l} + \left(-\frac{1}{3x^3}\right)\bigg|_{+l}^{b}\right\}\\ &= \lim_{l \to 0}\left\{+\frac{1}{3l^3} - \frac{1}{3a^3} - \frac{1}{3b^3} + \frac{1}{3l^3}\right\}.\end{aligned} \tag{414b}$$

Der Ausdruck wächst für $l \to 0$ über alle Grenzen, wir haben also

$$\int_{-a}^{b} \frac{1}{x^4}\,\mathrm{d}x = \text{unbeschränkt}, \tag{414c}$$

was man so bezeichnet, daß das Integral (413) *nicht existiert (divergiert)*. Obwohl in

$$\mathcal{J} = \int_{-a}^{b} \frac{1}{x^{2/3}}\,\mathrm{d}x \tag{415}$$

der Integrand für $x \to 0$ ebenfalls unendlich groß wird, erhält man hier, nach einer ähnlichen Untersuchung,

$$\mathcal{J} = 3\left\{\sqrt[3]{a} + \sqrt[3]{b}\right\}. \tag{415a}$$

Im Integral

$$\int_1^\infty \frac{1}{x^n}\,\mathrm{d}x \tag{416}$$

liegt ein *unendlicher Integrationsbereich* vor. Man schreibt wieder

$$\int_1^\infty \frac{1}{x^n}\,\mathrm{d}x = \lim_{\varepsilon\to\infty} \int_1^\varepsilon \frac{1}{x^n}\,\mathrm{d}x; \qquad (\varepsilon > 1, n \neq 1) \tag{416a}$$

und erhält

$$\int_1^\infty \frac{1}{x^n}\,\mathrm{d}x = \lim_{\varepsilon\to\infty} \left\{ \frac{\varepsilon^{1-n}}{1-n} - \frac{1}{1-n} \right\}. \tag{416b}$$

Man erkennt, daß

$$n > 1 \tag{416c}$$

sein muß, wenn das Integral (416) existieren soll. Allgemeiner gilt: Im Integral

$$J = \int_a^\infty f(x)\,\mathrm{d}x \tag{417}$$

muß für $x \to \infty$ die Funktion $f(x)$ wie $\frac{1}{x^n}$ $(n > 1)$ verschwinden, damit J nach (417) existiert.

In der Quantenchemie kommen fast ausschließlich Integrale über den ganzen Raum vor. Führen wir Polarkoordinaten ein,

$$\int_0^\infty \int_0^\pi \int_0^{2\pi} f(r, \vartheta, \varphi)\, r^2\,\mathrm{d}r \sin\vartheta\,\mathrm{d}\vartheta\,\mathrm{d}\varphi, \tag{418}$$

so muß $r^2 f$ wie $\frac{1}{r^n}$ $(n > 1)$ verschwinden, damit (418) endlich bleibt. Das heißt, f muß wie $\frac{1}{r^{3+\delta}}$ $(\delta > 0)$ für große r verschwinden.

δ) *Orthonormierte Funktionen*

Liegt eine Funktionenfolge (Funktionensystem)

$$f_1, f_2, f_3 \ldots \tag{419}$$

vor, so spielen in der Wellenmechanik die Integrale von der Form

$$\int\int\int_{-\infty}^{+\infty} f_i^* f_j\,\mathrm{d}x\,\mathrm{d}y\,\mathrm{d}z \equiv \int\int\int_{-\infty}^{+\infty} f_i^* f_j\,\mathrm{d}\mathfrak{r} \tag{420}$$

eine wichtige Rolle. Man nennt ein Funktionensystem *orthogonal*, wenn

$$\iiint_{-\infty}^{+\infty} f_i^* f_j \, d\mathfrak{r} = 0; \qquad (i \neq j) \tag{421}$$

Gilt darüber hinaus noch, daß

$$\iiint_{-\infty}^{+\infty} f_i^* f_i \, d\mathfrak{r} = 1; \qquad (\text{Normierung von } f_i), \tag{422}$$

so wird das Funktionensystem als *orthonormiert* bezeichnet. Ist f_j noch nicht normiert, so kann nach dem Übergang zur Funktion

$$\bar{f}_j = \frac{f_j}{\sqrt{\iiint f_j^* f_j \, d\mathfrak{r}}} = N_j f_j \tag{423}$$

eine normierte Funktion $\bar{f}_j$ erhalten werden. Ein Beispiel ist die unnormierte Funktion

$$f_j = e^{-\alpha r}; \qquad (\alpha > 0). \tag{424}$$

Mit

$$\int_0^\infty \int_0^\pi \int_0^{2\pi} e^{-2\alpha r} r^2 \, dr \sin\vartheta \, d\vartheta \, d\varphi = 4\pi \int_0^\infty r^2 e^{-2\alpha r} \, dr = 4\pi \frac{2}{(2\alpha)^3} = \frac{\pi}{\alpha^3} \tag{424a}$$

ergibt sich $\bar{f}_j$ nach (423) zu

$$\bar{f}_j = \sqrt{\frac{\alpha^3}{\pi}} f_j = \sqrt{\frac{\alpha^3}{\pi}} e^{-\alpha r} = N_j f_j; \qquad \left(N_j = \sqrt{\frac{\alpha^3}{\pi}}\right). \tag{424b}$$

Man nennt N_j in (423) die *Normierungskonstante* der Funktion f_j.
Aus einem Funktionensatz

$$f_1, f_2, f_3, \ldots \tag{425}$$

kann man ein orthonormiertes System $\bar{f}_1, \bar{f}_2 \ldots$ machen *(Orthonormierungsverfahren)*, indem man mit

$$\bar{f}_1 = f_1 N_1 \tag{426a}$$

beginnt und im nächsten Schritt

$$\bar{f}_2 = \alpha \bar{f}_1 + \beta f_2 \tag{426b}$$

setzt und α und β so bestimmt, daß $\bar{f}_2$ normiert und auf $\bar{f}_1$ orthogonal ist

$$\iiint \bar{f}_2^* \bar{f}_2 \, d\mathfrak{r} = 1 \tag{426c}$$

$$\iiint \bar{f}_2^* \bar{f}_1 \, d\mathfrak{r} = 0. \tag{426d}$$

Aus den beiden Gleichungen ergibt sich im Einzelnen

$$\alpha^2 + 2\alpha\beta \int\int\int \bar{f}_1^* f_2 \, d\mathfrak{r} + \beta^2 \int\int\int f_2^* f_2 \, d\mathfrak{r} = 1 \tag{426e}$$

$$\alpha + \beta \int\int\int f_2^* \bar{f}_1 \, d\mathfrak{r} = 0 . \tag{426f}$$

Da die Integrale bekannt sind, so liegen in (426e) und (426f) zwei Gleichungen für die zwei Unbekannten α und β vor, die eindeutig auflösbar sind.
Nachdem so α und β in (426b) bestimmt sind, setzt man für $\bar{f}_3$

$$\bar{f}_3 = \gamma \bar{f}_1 + \delta \bar{f}_2 + \varepsilon f_3 \tag{426g}$$

und kann wiederum die noch unbekannten γ, δ und ε bestimmen, indem man verlangt, daß $\bar{f}_3$ normiert und auf $\bar{f}_1$ und $\bar{f}_2$ orthogonal ist.
In dieser Weise fortfahrend erhält man ein orthonormiertes Funktionensystem $\bar{f}_1, \bar{f}_2 \ldots$.

ε) *Vollständiger Funktionensatz*

Jede Funktion eines Funktionensystems muß in dem gleichen Variablenintervall definiert sein! *Man nennt ein unendliches Funktionensystem* $f_1, f_2, f_3 \ldots$ *vollständig, wenn jede Funktion F, deren Quadrat integrierbar (quadratisch integrierbar) ist, durch eine unendliche Reihe der Funktionen*

$$\sum_{j=1}^{\infty} a_j f_j(x_1, \ldots, x_M) \tag{427}$$

ersetzt werden kann, wobei

$$\lim_{n\to\infty} \int \ldots \int \Big(F - \sum_{j=1}^{n} a_j f_j\Big)^2 \, dx_1 \ldots dx_M = 0 \tag{428}$$

gilt. Man sagt, die Funktion F wird *im Mittel* durch (427) angenähert, indem für $n \to \infty$ in (428) der Fehler immer kleiner wird.
Das Integral in (428) ist über den Definitionsbereich des Funktionensystems zu erstrecken, der auch derjenige von F ist. Die *Entwicklungskoeffizienten* a_j in (28) berechnen sich einfach, wenn man voraussetzt, daß das vollständige Funktionensystem auch noch orthonormiert ist. Man erhält dann

$$a_j = \int \ldots \int F^* f_j \, dx_1 \ldots dx_M . \tag{429}$$

Auf diese Weise ist *jede Funktion F durch ein vollständiges Funktionensystem darstellbar* (nach einem vollständigen Funktionensystem entwickelbar).

Zum Beispiel stellt das System

$$f_j = x^j \qquad (j = 0, 1, \ldots) \tag{430}$$

ein vollständiges Funktionensystem in einer Variablen dar. Aus diesem Grunde kann eine Funktion $F(x)$ nach Potenzen von x entwickelt werden (Potenzreihenentwicklung). Die Funktionen (430) könnten nach dem oben angegebenen Verfahren orthonormiert werden, man erhält dann *bestimmte* Polynome in x.

Aufg. 9 Es ist die Funktion $\psi(r) = e^{-\alpha r}$ zu normieren.

Aufg. 10 Man berechne das Zweizentren-Integral $\int \Phi \varphi \, \mathrm{d}\tau$ wenn

$$\Phi = \left(\frac{\alpha^3}{\pi}\right)^{\frac{1}{2}} e^{-\alpha r_a}; \qquad \varphi = \left(\frac{\alpha^3}{\pi}\right)^{\frac{1}{2}} e^{-\alpha r_b},$$

unter Verwendung von elliptischen Koordinaten.

3. Grundgleichungen der Wellenmechanik und Ausgangspunkte der Quantenchemie

a) Das Pauliprinzip und die Wellenfunktion

Atome und Moleküle bestehen aus positiv geladenen Atomkernen und negativen Elektronen, deren Ladungen (Elementarladung)

$$\boxed{-e = 4{,}8029 \times 10^{-10} \text{ elektrostatische Einheiten}} \quad (1)$$

und deren Massen

$$\boxed{m = 9{,}103 \times 10^{-28}\, g} \quad (2)$$

betragen. Die Kerne enthalten Vielfache (Z-fache) der positiven Elementarladung *e*. *Alle chemischen Eigenschaften dieser Systeme aus Kernen und Elektronen müssen aus den Eigenschaften dieser Teilchen und aus deren Wechselwirkungen folgen.*

Die Elektronen verteilen sich im Gleichgewicht durch die elektrischen Anziehungskräfte der Kerne um diese herum, wobei ihre Bewegungen das „Hineinfallen" in die positiven Atomkerne verhindern. Da die Elektronen normalerweise das System nicht verlassen, müssen diese Bewegungen auf gewisse Raumbereiche beschränkt bleiben und daher nach der klassischen Mechanik beschleunigte Bewegungen sein. Diese führen aber nach der klassischen Elektrodynamik zu einer Ausstrahlung von Energie, so daß das System danach ununterbrochen Energie verlieren würde und sich dann doch schließlich die Elektronen mit dem Kern vereinigen würden. D. h.: *Die Anwendung der klassischen Gesetze kann die Stabilität der Atome und Moleküle nicht erklären!*

Die klassische Mechanik gilt nur für *makroskopische* Gebilde. Für *atomare Dimensionen* gilt die Wellen-(oder Quanten-)Mechanik, deren Gesetze für immer größere Gebilde und Systeme stetig in die Gesetze der klassischen Mechanik übergehen. D. h.: *Zur Beschreibung der atomaren und molekularen Vorgänge kann allein die Wellenmechanik herangezogen werden als deren Spezialfall ($m \to \infty$ oder formal (s. S. 97) $h \to 0$) sich die klassische Mechanik ergibt.*

Wir nehmen an, daß das System aus n Elektronen und aus N Atomkernen besteht; die letzteren tragen die Kernladungen Z_λ($\lambda = 1,..., N$). Vom Ursprung eines Koordinatensystems aus seien die Vektoren zu den Kernen mit

$$\mathfrak{R}_\lambda = (R_{\lambda_x}, R_{\lambda_y}, R_{\lambda_z}); \qquad \lambda = 1, \ldots, N, \tag{3a}$$

die zu den Elektronen mit

$$\mathfrak{r}_j = (x_j, y_j, z_j); \qquad j = 1, \ldots, n \tag{3b}$$

bezeichnet. Daneben haben wir

$$r_{ij} = |\mathfrak{r}_i - \mathfrak{r}_j| \qquad \text{Elektron-Elektron-Abstand} \tag{4a}$$

$$r_{\lambda j} = |\mathfrak{R}_\lambda - r_j| \qquad \text{Elektron-Kern-Abstand} \tag{4b}$$

$$R_{\lambda\mu} = |\mathfrak{R}_\lambda - \mathfrak{R}_\mu| \qquad \text{Kern-Kern-Abstand.} \tag{4c}$$

Durch die Größen $\mathfrak{R}_\lambda$, $\mathfrak{r}_j$ ($j = 1, \ldots, n$; $\lambda = 1, \ldots, N$), und den Kernladungen Z_λ ($\lambda = 1, \ldots, N$) ist ein System charakterisiert.

α) Dichtefunktion und Elektronenverhalten

Von der Erfahrung her lassen sich eine Reihe von Aussagen über ein solches System finden, von denen wir einige angeben wollen:

1. Durch Streuexperimente mit Partikel findet man eine Elektronendichteverteilung $\varrho(\mathfrak{r})$ um die Atomkernladungen (Zentren) herum. $\varrho(\mathfrak{r})\Delta\mathfrak{r}$ ist ein Maß dafür, wieviele der n Elektronen sich im hinreichend kleinen Volumenelement $\Delta\mathfrak{r}$ mit den Koordinaten $\mathfrak{r}$ aufhalten. Die Integration über den ganzen Raum liefert dann

$$\int \varrho(\mathfrak{r})\, d\mathfrak{r} = n. \tag{5}$$

Abb. 33 zeigt schematisch, wie man sich die Beschreibung der Elektronendichte vorzustellen hat, wenn z. B. drei Kerne a, b, und c vorliegen.

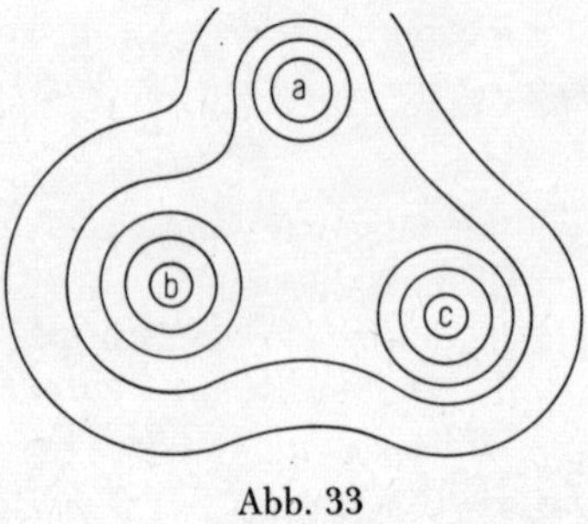

Abb. 33

Genau genommen, muß $\varrho(\mathfrak{r})$ auch eine Funktion der Kernlagen sein, also ist

$$\varrho = \varrho(\mathfrak{r}, \mathfrak{R}_1, \ldots, \mathfrak{R}_N). \tag{6a}$$

Unter Umständen kann $\varrho(\mathfrak{r})$ auch von der Zeit t abhängen, wenn die Ladungsverteilung bestimmte Bewegungen zeigt

$$\varrho = \varrho(\mathfrak{r}, \mathfrak{R}_1, \ldots, \mathfrak{R}_N, t). \tag{6b}$$

Für jeden Satz der $Z_1, \ldots, Z_N$ existiert dann eine Ladungsverteilung nach (6b) oder (6a).

2. Ein *stabiles* System besitzt einen *bestimmten* tiefsten Energiezustand $\mathcal{E}_0$ (Grundzustand) und in der Regel darüber hinaus weitere *diskrete* Energiezustände $\mathcal{E}_k (k = 1, \ldots)$, die alle energetisch höher als $\mathcal{E}_0$ liegen

$$\mathcal{E}_k > \mathcal{E}_0. \tag{7}$$

Energieaufnahme und -abgabe (Energiesprung) kann nur in Beträgen der Energiedifferenzen

$$\mathcal{E}_k - \mathcal{E}_{k'} = \Delta\, \mathcal{E}_{kk'} \tag{8}$$

erfolgen, am häufigsten als Strahlung (Absorption und Emission). Die Frequenz ν der Strahlungen ergibt sich aus (8) nach dem Gesetz (Bohrsche Frequenzbedingung, 1913)

$$\boxed{|\Delta\, \mathcal{E}_{kk'}| = h\nu,} \tag{9}$$

wobei h die Plancksche Konstante (Plancksches Wirkungsquantum, 1900)

$$\boxed{h = 6{,}625 \times 10^{-27}\ \text{erg} \times \text{sec}} \tag{9a}$$

ist. Zu jedem $\mathcal{E}_k$ existiert eine bestimmte Dichteverteilung ϱ_k. Für jedes *stabile* System gibt es daher ein diskretes Energieschema (Abb. 34); dies sind die Energieterme (Energieniveaus) des jeweiligen Atoms oder Moleküls.

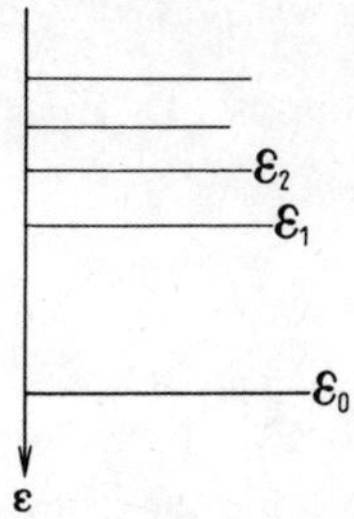

Abb. 34

3. Bei der Einstrahlung von Energie in ein System werden nicht nur diskrete Anregungen nach (8) und (9) beobachtet, sondern es können auch Elektronen aus dem System entfernt werden (Ionisation), wobei zur Ionisation eine Mindestenergie erforderlich ist. Röntgenstrahlen können bestimmte sehr fest gebundene Elektronen frei machen. *UV*- oder optische Strahlungen lösen (ebenso wie Stöße durch Teilchen) leichter im System gebundene Elektronen aus. Im Spektrum der Abb. 34 ist daher auch ein sogenanntes *Kontinuum* aufzunehmen (Abb. 35).

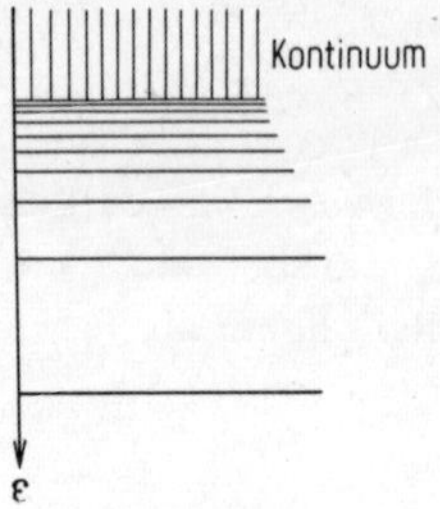

Abb. 35

In diesen Energiebereichen können alle ε-Werte vom System angenommen werden.

4. Fallen Elektronen mit der Geschwindigkeit v durch einen engen Spalt, so treten Beugungsbilder auf (schematisch in Abb. 36),

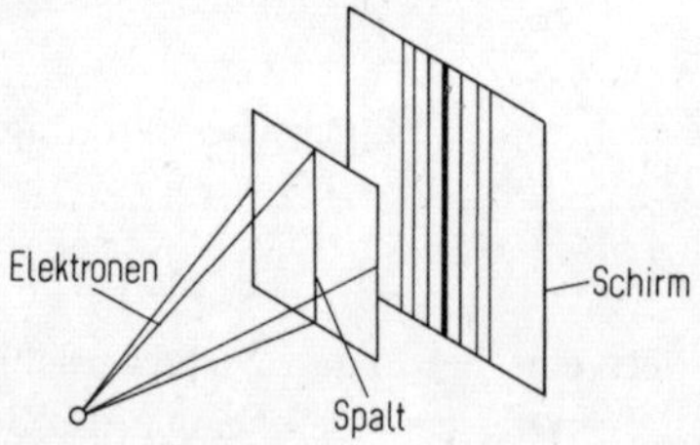

Abb. 36

die einer Strahlung mit der Wellenlänge (De Broglie, 1924)

$$\lambda = \frac{h}{m v} \tag{10}$$

entsprechen. *Elektronen gleicher Geschwindigkeit verhalten sich wie eine Strahlung mit einer Wellenlänge nach (10).* Die Beziehung (10) gilt auch für andere „Teilchen" wie Protonen, Atome, Moleküle usw.; doch wird λ nach (10) mit wachsender Masse der Teilchen immer kleiner, so daß schließlich keine Beugung mehr beobachtet werden kann, da die Größe der Öffnung groß wird gegenüber der Wellenlänge! Interferenzexperimente führen zum gleichen Resultat.

5. Umgekehrt zeigt auch Strahlung ein korpuskulares Verhalten (Comptoneffekt), indem bei Einstrahlung auf Elektronensysteme (Streuung) die Ergebnisse nur so beschrieben werden können, daß der Strahlung mit der Frequenz ν nicht nur eine Energie

$$E = h\nu \tag{11}$$

zukommt, sondern auch ein Impuls p nach

$$p = \frac{h\nu}{c}\,; \qquad c = \text{Lichtgeschwindigkeit.} \tag{12}$$

Wegen der bekannten Beziehung zwischen Frequenz ν, Wellenlänge λ und Lichtgeschwindigkeit c

$$\lambda\nu = c \tag{13}$$

geht (12) formal in (10) über, wobei sich der Impuls von Teilchen nach der Mechanik zu

$$p = mv \tag{14}$$

ergibt.

Es liegt also eine Dualität von Materie und Welle vor! Insbesondere zwischen Elektronen und Strahlung, obwohl Masse und Ladung der Elektronen (vgl. (1) (2)) gemessen werden können! Die Klärung dieser scheinbaren Widersprüche führt zur Wellenmechanik!

β) Unschärferelation und Wahrscheinlichkeitsverteilung

Die wellenmechanischen Ausgangspunkte sollen durch zwei Fakten dargestellt werden:

I. Legen wir im Versuch der Abb. 36 die Spaltbreite in x-Richtung, so kommt der Strahl in die y-Richtung zu liegen (Abb. 37).

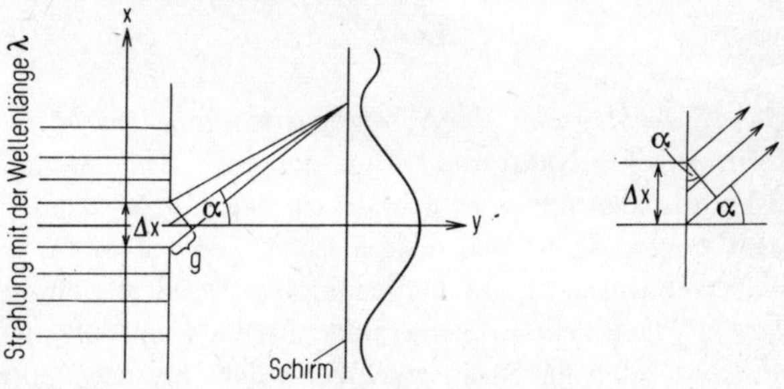

Abb. 37

Auf der rechten Seite ist die Intensität der Strahlung auf dem Schirm graphisch aufgetragen worden. Der Spaltdurchmesser sei Δx. Dann gilt für den Winkel zum ersten Intensitätsminimum (s. Zeichnung), wenn $\Delta x \approx \lambda$,

$$\Delta x \sin \alpha = \lambda, \tag{15}$$

da der Gangunterschied g zwischen den Wellen, die am oberen und unteren Spaltrand abgebeugt werden, in diesem Falle gerade λ beträgt. Im Augenblick des Elektronendurchgangs im Spalt ist die Lage (Ortskoordinate) eines Elektrons auf Δx genau bestimmt. Ein Elektron besitzt nach dem Durchgang, im Gegensatz zum Zustand vor dem Spalt einen Impuls in x-Richtung. Diese Richtungsänderung, die durch den Winkel α beschrieben sei, habe zur Impulsänderung Δp_x in x-Richtung geführt. Für diese gilt

$$\Delta p_x = p_y \operatorname{tg} \alpha = p_y \frac{\sin \alpha}{\cos \alpha}, \tag{16}$$

wenn p_y der Impuls in y-Richtung vor dem Spalt gewesen ist. Nach (10) und (14) gilt

$$p = \frac{h}{\lambda}, \tag{17}$$

so daß (16) in

$$\Delta p_x = \frac{h \sin \alpha}{\lambda \cos \alpha} \tag{16a}$$

übergeht. Da cos α für $0 \leq \alpha \leq 90^0$ immer kleiner oder gleich Eins ist, so können wir die Ungleichung

$$\Delta p_x \geq \frac{h}{\lambda} \sin \alpha \tag{18}$$

schreiben. Setzt man (15) in (18) ein, so erhält man die Ungleichung

$$\boxed{\Delta x \, \Delta p_x \geq h,} \tag{19}$$

die man die *Heisenbergsche Ungenauigkeitsrelation (Unschärferelation)* nennt. Sie ist von prinzipieller Natur und besagt, daß ein Teilchen bezüglich seiner Orts- und Impulskoordinaten mit einer grundsätzlichen Ungenauigkeit nach (19) behaftet ist. Im Gegensatz zu makroskopischen Teilchen ist für „Mikroteilchen“ (Elektronen, Protonen, usw.) die Ungenauigkeit der Bestimmung der Lage *und* des Impulses in jedem Zeitpunkt charakteristisch. $\Delta \mathfrak{r}$ und $\Delta \mathfrak{p}$ (allgemein) können nicht *gleichzeitig* Null sein. Dies ist eine Folge der Tatsache, daß z. B. Elektronen neben den korpuskularen Eigenschaften auch Wellennatur besitzen.

II. Lassen wir im Versuch der Abb. 36 *die Elektronen zeitlich nacheinander durch den Spalt* fliegen, so beobachten wir, daß an ganz bestimmten Stellen des Schirms das Auftreffen der einzelnen Elektronen registriert wird. Die Gesamtheit dieser „Auftreffstellen“ liefert dann das Beugungsbild auf dem Schirm wie in Abb. 36 angegeben. Da wir andererseits als notwendiges Kennzeichen eines Elektrons seine Unteilbarkeit annehmen müssen, so werden wir gezwungen, dem Wellenfeld, dessen Wellenlänge nach (10) gegeben war, eine *statistische Deutung* beizugeben. Danach muß das Amplitudenquadrat der Welle an einem Ort, an dem ihre Intensität gemessen wird, ein Maß für die Wahrscheinlichkeit W sein, das Elektron (Teilchen) an diesem Ort zu finden *(Aufenthaltswahrscheinlichkeit)*. Beschreiben wir die *Welle* durch eine Funktion von $\mathfrak{r}$ und t

$$\Psi = \Psi(\mathfrak{r}, t), \tag{20}$$

so ist damit (W muß reell sein),

$$W = \Psi^* \Psi \Delta \mathfrak{r}, \tag{21}$$

wenn $\Delta\mathfrak{r}$ das Volumenelement (Ort) bedeutet, auf das sich obige Wahrscheinlichkeitsaussage bezieht.

Man nennt Ψ die *Wellenfunktion* des Elektrons. Aus (21) muß sich die Intensitätsverteilung auf dem Schirm ergeben, wenn wir die entsprechende Versuchsanordnung (Spalt, Abstand des Schirms und senkrechter Auffall der Strahlung) wählen.
Da die Wahrscheinlichkeit zur Sicherheit wird, wenn wir nach der Aufenthaltswahrscheinlichkeit im ganzen Raum fragen und in der Mathematik immer $W \leq 1$ ist und daher die Sicherheit den Wert 1 hat, so muß gelten:

$$\int \Psi^* \Psi \, d\mathfrak{r} = 1. \tag{22}$$

Man sagt: Ψ *muß auf Eins normiert sein.* Liegen n Elektronen vor, so ist Ψ eine Funktion aller $3n$ Elektronenkoordinaten, sowie der Zeit

$$\boxed{\Psi = \Psi(\mathfrak{r}_1, \ldots, \mathfrak{r}_n, t)}\,, \tag{23}$$

und

$$\boxed{W = \Psi^* \Psi \, \Delta\mathfrak{r}_1 \ldots \Delta\mathfrak{r}_n} \tag{24}$$

stellt die Wahrscheinlichkeit dar, daß sich die n Elektronen in den Volumenelementen $\Delta\mathfrak{r}_j$ ($j = 1, \ldots, n$) befinden (das j-te Elektron im $\Delta\mathfrak{r}_j$). Entsprechend ist (21)

$$w(\mathfrak{r}_j) = \left[\int \ldots \int \Psi^* \Psi \, d\mathfrak{r}_1 \ldots d\mathfrak{r}_{j-1} \, d\mathfrak{r}_{j+1} \ldots d\mathfrak{r}_n\right] \Delta\mathfrak{r}_j \tag{25}$$

die Wahrscheinlichkeit dafür, das j-te Elektron (allgemein: irgend *ein* Elektron) in $\Delta\mathfrak{r}_j$ zu finden, so daß nach (22) wieder

$$\int \ldots \int \Psi^* \Psi \, d\mathfrak{r}_1 \ldots d\mathfrak{r}_n = 1 \tag{26}$$

sein muß. Die Gesamtelektronendichte $\varrho(\mathfrak{r})$ in (5) ergibt sich dann zu

$$\varrho(\mathfrak{r}) = w(\mathfrak{r}_1)|_{\mathfrak{r}} + w(\mathfrak{r}_2)|_{\mathfrak{r}} + \cdots = \sum_{j=1}^{n} w(\mathfrak{r}_j)|_{\mathfrak{r}} = n w(\mathfrak{r}) \tag{27}$$

wobei in der Summe für $\mathfrak{r}_j$ jedesmal $\mathfrak{r}$ gesetzt werden muß, da wir uns auf *ein* Volumenelement beziehen, in welchem sich im Mittel ein Bruchteil der n Elektronen befindet. Aus (26) mit (27) folgt dann (5). $\varrho(\mathfrak{r})$ stellt die Anzahl der Elektronen dar (Bruchteil von n), die sich im Mittel im Volumenelement $\Delta\mathfrak{r}$ aufhalten! Die Ladungsdichte der n Elektronen ergibt sich nach Multiplikation mit $-e$ (statistische Ladungsdichte).

Bei Molekülen ist die Wellenfunktion (ψ-Funktion) auch noch eine Funktion der Kernlagen im Raum, sowie der Kernladungen

$$\Psi = \Psi(\mathfrak{r}_1, \ldots, \mathfrak{r}_n, \mathfrak{R}_1, \ldots, \mathfrak{R}_N, Z_1, \ldots, Z_N, t). \tag{28}$$

Auch für diese Funktion gilt

$$\int \Psi^* \Psi \, d\mathfrak{r}_1 \ldots d\mathfrak{r}_n \, d\mathfrak{R}_1 \ldots d\mathfrak{R}_N = 1, \tag{29}$$

da wir auch nach der Aufenthaltswahrscheinlichkeit der Atomkerne fragen können, die sich bezüglich dieser Fragestellung nicht von den Elektronen unterscheiden.

γ) *Elektronenspin*

Neben der Ladung und der Masse besitzt das Elektron noch einen Eigendrehimpuls (Spin), so daß auch dieser zur Charakterisierung eines Systems von n Elektronen herangezogen werden muß. Gleichzeitig ist damit auch ein magnetisches Moment des Elektrons verbunden. Wir führen daher neben den Ortskoordinaten noch n „Spinkoordinaten“ σ_j $(j = 1, \ldots, n)$ ein, die jeweils angeben, welchen Drehimpuls (Vektor) das j-te Elektron hat. Da, wie die Erfahrung gezeigt hat, ein Elektron nur zwei Drehimpulsmöglichkeiten (Spinzustände) hat, indem bei einem festen Drehimpulsbetrag $\left|\frac{h}{4\pi}\right|$ der Vektor des Drehimpulses entweder in einer Richtung oder in der entgegengesetzten liegen kann, so ist σ_j (im Gegensatz zum stetigen Verlauf von $\mathfrak{r}_j$) nur zweier Werte fähig. Wir haben also schließlich:

$$\Psi = \Psi(\mathfrak{r}_1, \ldots, \mathfrak{r}_n, \sigma_1, \ldots, \sigma_n, \mathfrak{R}_1, \ldots, \mathfrak{R}_N, Z_1, \ldots, Z_N, t). \tag{30}$$

Die Integration über die „Spinkoordinaten“ geht, wegen den Eigenschaften von σ_j, in eine Summation über die beiden σ-Möglichkeiten über. Der Einfachheit halber schreibt man oft auch in diesem Falle Integrationszeichen, doch sind diese im obigen Sinne zu verstehen

$$\int \ldots \int \Psi^* \Psi \, d\mathfrak{r} \, d\sigma \, d\mathfrak{R} = 1, \tag{31}$$

wobei die Abkürzungen $d\mathfrak{r}$, $d\sigma$ und $d\mathfrak{R}$ für die Gesamtheit der $d\mathfrak{r}_1, \ldots, d\mathfrak{r}_n$, $d\sigma_1, \ldots, d\sigma_n$ und $d\mathfrak{R}_1, \ldots, d\mathfrak{R}_N$ stehen. Nur zu jedem *stabilen Energiezustand* $\mathcal{E}_k$ $(k = 0,1 \ldots)$ des Systems gehört eine ganz bestimmte Ψ-Funktion Ψ_k $(k = 0,1 \ldots)$. Manchmal kann es auch vorkommen, daß zu einem $\mathcal{E}_k$ mehrere Ψ_k gehören, dann schreiben wir Ψ_{kj} $(j = 1, \ldots, M)$ und nennen diesen Fall eine *M*-fache *Entartung des Zustandes* $\mathcal{E}_k$.

δ) *Pauliprinzip*

Die Vertauschung von Elektronen (gleichartige Partikel) kann keinen Einfluß auf die Aufenthaltswahrscheinlichkeit (24) haben; das bedeutet, daß die Vertauschung der Koordinaten i,j zweier Elektronen in Ψ nur das Vorzeichen dieser Funktion verändern kann

$$T_{ij} \Psi = \pm \Psi. \tag{32}$$

Wir haben dabei in (32) von der Transposition T_{ij} im Abschnitt 2b Gebrauch gemacht. Rein mathematisch können daher symmetrische (Ψ_S) und antisymmetrische (Ψ_A) Wellenfunktionen vorkommen, wobei in der Natur nur ein Funktionstyp zur Beschreibung verwendet werden darf, da keine Übergänge – wie man zeigen kann (s. S. 130) – stattfinden.
Aus der Erfahrung entnimmt man, daß im Falle von Elektronen *nur* die antisymmetrische Ψ-Funktion vorkommt. Diese Aussage nennt man das *Pauliprinzip*.
Nur Ψ-Funktionen, die normiert werden können und antisymmetrisch sind, sind von physikalischer und chemischer Bedeutung!

Aufg. 11 Die Wellenfunktion eines Elektrons sei in atomaren Einheiten (s. S. 104) $\Psi(r) = \left(\frac{1}{\pi}\right)^{\frac{1}{2}} e^{-r-\frac{1}{2}it}$. Wo befindet sich das Elektron am wahrscheinlichsten.

Aufg. 12 Die Masse des Elektrons ist $m = 9{,}103 \cdot 10^{-28}$ gr; die Plancksche Konstante beträgt $h = 6{,}625 \cdot 10^{-27}$ erg · sec. Wie genau kann nach der Unschärferelation bestenfalls der Ort eines Elektrons bekannt sein, wenn seine Geschwindigkeit auf 100 m/sec genau bekannt ist?

b) Die zeitabhängige Schrödingergleichung

Die Ψ_k-Funktionen ergeben sich als Lösungen einer partiellen Differentialgleichung

$$\boxed{\mathcal{H}\Psi = -\frac{h}{2\pi i}\frac{\partial \Psi}{\partial t}} \qquad (i = \sqrt{-1}), \tag{33}$$

die man die *zeitabhängige Schrödingergleichung (Wellengleichung)* nennt, wobei t die Zeit bedeutet und

$$\mathcal{H}\Psi = -\frac{h^2}{8\pi^2 m}\sum_{i=1}^{n}\Delta_i\Psi - \frac{h^2}{8\pi^2 \hat{m}}\sum_{\lambda=0}^{N}\frac{\Delta_\lambda}{M_\lambda}\Psi + V'(\mathfrak{r},\mathfrak{R})\Psi. \tag{34}$$

Im Einzelnen ist

m = Elektronenmasse
$\hat{m}$ = Masse eines Nukleons (Proton, Neutron)
M_λ = Anzahl der Nukleonen im λ-ten Atomkern

$$\begin{aligned} \Delta_i &= \frac{\partial^2}{\partial x_i^2} + \frac{\partial^2}{\partial y_i^2} + \frac{\partial^2}{\partial z_i^2} \qquad (\text{vgl. } 2\,\text{d}\,(328)) \\ \Delta_\lambda &= \frac{\partial^2}{\partial R_{\lambda x}^2} + \frac{\partial^2}{\partial R_{\lambda y}^2} + \frac{\partial^2}{\partial R_{\lambda z}^2}, \end{aligned} \tag{35}$$

(x, y, z) und $(R_{\lambda x}, R_{\lambda y}, R_{\lambda z})$ sind in (3a) und (3b) erklärt. Weiter ist

$$V' = V + \overline{W} \tag{36}$$

mit

$$V = -e^2\sum_{\lambda=1}^{N}\sum_{i=1}^{n}\frac{Z_\lambda}{r_{\lambda i}} + e^2\sum_{j=1}^{n-1}\sum_{i=j+1}^{n}\frac{1}{r_{ij}} \tag{37a}$$

$$\overline{W} = e^2\sum_{\lambda=1}^{N-1}\sum_{\mu=\lambda+1}^{N}\frac{Z_\lambda Z_\mu}{R_{\lambda\mu}}. \tag{37b}$$

$r_{\lambda i}$, r_{ij} und $R_{\lambda\mu}$ traten schon in (4a), (4b) und (4c) auf. V ist das Wechselwirkungspotential der n Elektronen untereinander und mit den N Atomkernen, die die Ladungen $Z_\lambda(\lambda = 1,\dots,N)$ tragen. $\overline{W}$ bedeutet die elektrostatische Wechselwirkung der N Kerne. In jedem Falle handelt es sich um Coulombpotentiale (die Wechselwirkung zweier Körper ist umgekehrt proportional ihrem Abstand).

Man kann die zeitabhängige Schrödingergleichung (33) formal von den Naturkonstanten h, e, π, m und $\hat{m}$ befreien, wenn man atomare Einheiten (*at. E.*) einführt.

Danach werden als Einheiten der Ladung und der Masse die des Elektrons eingeführt. Als Einheit der Länge wählt man den sogenannten *Bohrschen Radius*

$$a_0 = \frac{h^2}{4\pi^2 m e^2} = 0{,}52917 \times 10^{-8}\ \text{cm}. \tag{38}$$

Als Einheit der Wirkung tritt daneben

$$\hbar = \frac{h}{2\pi} = 1{,}0544 \times 10^{-27}\ \text{erg} \times \text{sec} \tag{39}$$

auf. Als Einheit der Energie resultiert daraus die *doppelte* Ionisierungsenergie des Wasserstoffatoms

$$2E_H = 27{,}210\ eV; \qquad \left(2E_H = \frac{e^2}{a_0}\right). \tag{40}$$

$\hat{m}$ ergibt sich in diesen Einheiten, wenn man den sehr kleinen Unterschied zwischen Protonen- und Neutronenmasse vernachlässigt, zu

$$\hat{m} \simeq 1836. \tag{41}$$

Die folgende Tabelle gibt einige Umrechnungen in der Energie wieder

	at. E.	eV	$\frac{\text{kcal}}{\text{Mol}}$
at. E.	1	27,210	627,71
eV	$3{,}6752 \times 10^{-2}$	1	23,069
$\frac{\text{kcal}}{\text{Mol}}$	$1{,}5931 \times 10^{-3}$	$4{,}3348 \times 10^{-2}$	1

Tabelle 3

In atomaren Einheiten nehmen die Formeln die folgende Gestalt an:

$$\mathcal{H}\Psi = i\,\frac{\partial \Psi}{\partial t} \tag{33'}$$

mit

$$\mathcal{H}\Psi = -\frac{1}{2}\sum_{i=1}^{n} \Delta_i \Psi - \frac{1}{3672}\sum_{\lambda=1}^{N} \frac{\Delta_\lambda}{M_\lambda}\Psi + (V + \overline{W})\Psi \tag{37'a}$$

$$V = -\sum_{i=1}^{n}\sum_{\lambda=1}^{N} \frac{Z_\lambda}{r_{\lambda i}} + \sum_{i=1}^{n-1}\sum_{j=i+1}^{n} \frac{1}{r_{ij}} \tag{37'b}$$

$$\overline{W} = \sum_{\lambda=1}^{N-1}\sum_{\mu=\lambda+1}^{N} \frac{Z_\lambda Z_\mu}{R_{\lambda\mu}}, \tag{37'c}$$

wobei die Längen in Ψ, in (37′a) und (37′b), sowie in Δ_i und Δ_λ in Vielfache von a_0 (s. (38)) gerechnet werden. Die atomare Einheit der Zeit beträgt:

$$t_0 = 2{,}4189 \times 10^{-17}\ \text{sec}; \qquad \left(t_0 = \frac{h^3}{m e^4}\right). \tag{42}$$

α) *Eigenzustände (stationäre Zustände)*

Machen wir für Ψ in (33′) den Ansatz (in at. E.)

$$\Psi(\mathfrak{r}, \sigma, \mathfrak{R}, t) = \psi(\mathfrak{r}, \sigma, \mathfrak{R})\, e^{-i\mathcal{E}t}, \tag{43}$$

und gehen mit diesem in (33′) hinein, so erhalten wir die *zeitunabhängige Schrödingergleichung*

$$\mathcal{H}\psi = \mathcal{E}\psi. \tag{44}$$

Wegen

$$\Psi^* \Psi = \psi^* \psi \tag{44a}$$

muß ψ in (44) ebenfalls normiert sein und dazu dem Pauliprinzip genügen. Die Gleichung (44) stellt ein *Eigenwertproblem* dar, in dem für gewisse $\mathcal{E}_k$ bestimmte Lösungen ψ_k (gegebenenfalls Entartung) existieren, die die obigen Bedingungen erfüllen. Die $\mathcal{E}_k$ sind die oben erwähnten Energiezustände des Systems (Gleichgewicht).

$$\mathcal{H}\psi_k = \mathcal{E}_k \psi_k. \tag{45}$$

Die allgemeinste Lösung von (33′) ergibt sich als Linearkombination der Funktionen

$$\Psi_k = \psi_k e^{-i\mathcal{E}_k t}, \tag{46}$$

also

$$\Psi = \sum_k a_k \psi_k e^{-i\mathcal{E}_k t}, \tag{47}$$

denn (47) erfüllt (33′), wenn die ψ_k Eigenfunktionen nach (45) sind. Die Wahrscheinlichkeitsdichte ergibt sich damit zu

$$W = \Psi^* \Psi = \sum_k a_k^* a_k \psi_k^* \psi_k + \sum_{(k \neq k')} \sum a_k^* a_{k'} \psi_k^* \psi_{k'} e^{-i(\mathcal{E}_{k'} - \mathcal{E}_k)t} \tag{48}$$

und ist *zeitabhängig* („Schwingende Ladungswolke"). Nur wenn *ein* a_k von Null verschieden ist

$$a_n \neq 0; \quad a_k = 0; \quad (k \neq n), \tag{49}$$

ergibt sich W als von der Zeit unabhängig. Dann liegt ein *stationärer Zustand* mit der Gesamtenergie $\mathcal{E}_n$ des Systems vor. *Zur Behandlung von stationären Zuständen ist die zeitunabhängige Schrödingergleichung (44) zuständig. Das System besitzt dabei ganz bestimmte Energiewerte (Energieeigenwerte).*

β) Zeitabhängige Störungen

Ist das System nicht in Ruhe, sondern tritt in V noch eine zeitabhängige Beeinflussung auf (zeitabhängige Störung), so kann (43) nicht mehr Lösung von (33') sein (kein stationärer Zustand mehr). In diesem Falle schreibt sich die Lösung von (33') in der Form

$$\Psi = \sum_k a_k(t)\,\psi_k\,e^{-i\,\mathcal{E}_k t}, \tag{50}$$

wobei die a_k jetzt Funktionen der Zeit sind. Die a_k (besser $a_k^* a_k$) sind dann ein Maß für die Beteiligung (Anregung) des Zustandes $\mathcal{E}_k$ am wirklichen, von der Zeit abhängigen Zustand des Systems, der durch Ψ nach (50) dargestellt wird.

Zeitabhängige V treten auf, wenn auf das System Strahlung fällt, Strahlung emittiert wird, oder das System mit anderen in Wechselwirkung tritt (Reaktionen, Stöße). Bei Strahlungsvorgängen ist es eine sehr gute Näherung nach (9) und mit den $\mathcal{E}_k$ aus (45) die gegebenenfalls zu erwartenden Frequenzen auszurechnen.

Aufg. 13 Man schreibe den Ausdruck $\mathcal{H}\Psi$ der zeitunabhängigen Schrödingergleichung für HeH$^+$ auf. Wie lautet dieser für CH$_4$ in atomaren Einheiten?

Aufg. 14 Wie lautet die zeitabhängige Schrödingergleichung für ein Teilchen mit der Masse m, welches in x-Richtung fliegt?

c) Operatorengleichungen, Erwartungswerte und Übergangselemente

α) Operatoren und Matrizen

Unter einem *Operator* $\underline{O}$ verstehen wir allgemein eine *mathematische Vorschrift*, die angibt, was mit der rechts von $\underline{O}$ stehenden Funktion zu machen ist.

$$\underline{O}\Phi = \varphi. \tag{51}$$

In (51) resultiert nach Anwendung von $\underline{O}$ auf Φ die Funktion φ. Diese ist eindeutig durch $\underline{O}$ und Φ gegeben. In der Quantenchemie kennen wir hauptsächlich drei Arten von Operatoren:

a) Multiplikation von Φ mit einer Funktion f oder mit einer Zahl a

$$\underline{O} = \begin{cases} f(\mathfrak{r},\dots) \\ a \end{cases}. \tag{52a}$$

b) Anwendung einer Differentiationsvorschrift auf Φ (vgl. Differentialoperatoren) z. B.

$$\underline{O} = \frac{\partial}{\partial t} \tag{52'b}$$

$$\underline{O} = \Delta \tag{52''b}$$

$$\underline{O} = \frac{\partial}{\partial x}; \quad \frac{\partial}{\partial y}; \quad \frac{\partial}{\partial z}. \tag{52'''b}$$

c) Eine Integrationsvorschrift für Φ z. B.

$$\underline{O}\Phi = \int \Phi \, d\mathfrak{r}, \tag{52c}$$

Fall a) und b) ist im Operator $\mathcal{H}$ verwirklicht. Wir nennen $\mathcal{H}$ den *Hamiltonoperator*. Dieser ist nach (34) vom jeweils vorliegenden System (n Elektronen, N Atome) abhängig.

In der *Wellen-(Quanten-)Mechanik wird jeder mechanischen Größe L (Energie, Impuls, Drehimuls ...) ein Operator* $\underline{O}_L$ *zugeordnet*

$$\boxed{L \sim \underline{O}_L}, \tag{53}$$

wobei alle Operatoren der Wellen-(Quanten-) Mechanik *selbstadjungierte* (hermitische) Operatoren sind. Es gilt also

$$\int \varphi^* \underline{O}_L \Phi \, d\tau \equiv \int \Phi \underline{O}_L^* \varphi^* \, d\tau, \tag{54}$$

wobei φ und Φ zwei Funktionen sind, die einer ausgedehnten Funktionenklasse angehören. Zu dieser Klasse gehören praktisch alle Wellenfunktionen (und deren Näherungen) in der Quantenchemie.

Sei M_{ik} nach

$$M_{ik} = \int \psi_i^* \underline{O}_L \psi_k \, d\tau \tag{55}$$

ein Element einer Matrix

$$\mathfrak{M}^{(L)} = \begin{bmatrix} M_{11} & \dots & M_{1M} \\ \vdots & & \vdots \\ M_{M1} & \dots & M_{MM} \end{bmatrix}, \tag{56}$$

wenn wir von M linear unabhängigen Funktionen

$$\psi_1, \psi_2, \dots, \psi_M \tag{57}$$

ausgehen, so sagt man: Jedem Operator $\underline{O}_L$ kann bezüglich eines Funktionssystems (57) nach (55) eine Matrix $\mathfrak{M}^{(L)}$ zugeordnet werden. Nach (54) sind alle diese Matrizen hermitisch, denn aus

$$\int \psi_i^* \underline{O}_L \psi_k \,\mathrm{d}\tau \equiv \int \psi_k \underline{O}_L^* \psi_i^* \,\mathrm{d}\tau; \tag{58}$$

was mit (54) identisch ist, folgt wegen (55)

$$M_{ik}^{(L)} \equiv M_{ki}^{(L)*} \qquad \text{(Hermitezität von } \mathfrak{M}). \tag{59}$$

β) Operatorengleichungen

Ein Postulat der Wellen-(Quanten-)Mechanik lautet: *Wenn man bei wiederholter Messung einer gewissen Größe L (Observable) jedesmal einen Wert $\lambda^{(L)}$ (Zahl) erhält („scharfer Wert von L"), so sind $\underline{O}_L$ und die zu diesem Zustand gehörende Wellenfunktion $\psi^{(L)}$ des Systems durch die Beziehung*

$$\underline{O}_L \psi_k^{(L)} = \lambda_k^{(L)} \psi_k^{(L)}; \qquad (k = 0, 1, \ldots) \tag{60}$$

verknüpft.

Dieser Satz gilt auch umgekehrt: Ist (60) erfüllt, so erhalten wir jedesmal bei einer Messung der Größe L am System, dessen Zustand durch $\psi^{(L)}$ beschrieben wird, den Wert $\lambda^{(L)}$.

Man bezeichnet (60) als *Operatorengleichung*. $\psi^{(L)}$ wird Eigenfunktion des Operators $\underline{O}_L$ genannt. $\lambda^{(L)}$ ist der dazugehörige Eigenwert. Es gilt weiter, daß alle Eigenwerte von hermitischen Operatoren reell und daß alle Eigenfunktionen $\psi^{(L)}(\lambda^{(L)})$ zu verschiedenen $\lambda^{(L)}$ (aber gleichen L) orthogonal sind

$$\int \psi^{(L)*}\left(\lambda^{(L)}\right) \psi^{(L)}\left(\lambda'^{(L)}\right) \mathrm{d}\tau = \delta_{\lambda^{(L)}\lambda'^{(L)}}, \tag{61}$$

oder

$$\int \psi_i^{(L)*} \psi_k^{(L)} \,\mathrm{d}\tau = \delta_{ik}. \tag{61a}$$

(Bei Entartung können diese orthogonalisiert werden.)

Die Schrödingergleichung (44) ist somit eine Operatorengleichung mit $\underline{O}_L = \mathcal{H}$. Schreiben wir in Spezifizierung von (53) in at. E.

$$\left.\begin{array}{l} \underline{p}_x \text{ Impuls in } x\text{-Richtung} \\[2ex] \underline{p}_y \text{ Impuls in } y\text{-Richtung} \\[2ex] \underline{p}_z \text{ Impuls in } z\text{-Richtung} \end{array}\right\} \sim \left\{\begin{array}{l} -i\,\dfrac{\partial}{\partial x} \\[2ex] -i\,\dfrac{\partial}{\partial y} \\[2ex] -i\,\dfrac{\partial}{\partial z} \end{array}\right. \tag{62a}$$

$$\begin{array}{l} \underline{x} \sim x \\ \underline{y} \sim y \\ \underline{z} \sim z, \end{array} \tag{62b}$$

so geht die stationäre Gesamtenergie (Elektronenmasse als Einheit)

$$\mathcal{E} = + \frac{1}{2} \sum_i \{p_{x_i}^2 + p_{y_i}^2 + p_{z_i}^2\} + V \tag{63}$$

wegen (62) in $\mathcal{H}$ über

$$\mathcal{E} \rightarrow \mathcal{H}. \tag{64}$$

In diesem Falle ist L die Energie.

Stationäre Zustände sind Zustände scharfer Energie!

γ) *Übergangselemente und Erwartungswerte*

Besteht der Funktionensatz in (57) aus Eigenfunktionen eines Operators $\underline{O}_L$, so ist wegen (60) und (61) die Matrix $\mathfrak{M}^{(L)}$ eine Diagonalmatrix von der Form

$$\mathfrak{M}^{(L)} = \begin{bmatrix} \lambda_1^{(L)} & & 0 \\ & \ddots & \\ 0 & & \lambda_M^{(L)} \end{bmatrix}. \tag{65}$$

Im Falle $L = \mathcal{E}$ stehen in (65) die Energieeigenwerte in der Diagonalen. Sind $\psi_k^{(L')}$, $\psi_i^{(L')}$ Eigenfunktionen zu einem Operator $\underline{O}_{L'}$, wobei $\underline{O}_{L'}$ nicht mit $\underline{O}_L$ übereinstimmt ($L \neq L'$), so nennen wir die $M_{ik}^{(L)}$ *Übergangselemente*, wenn $i \neq k$. $M_{kk}^{(L)}$ wird als *Erwartungswert* der Größe $\lambda^{(L)}$ bezüglich des Zustandes $\psi_k^{(L')}$ bezeichnet. Ist $\psi_k^{(L')}$ auch noch Eigenfunktion zu $\underline{O}_L$, so geht $M_{kk}^{(L)}$, wegen (60), in den Eigenwert $\lambda^{(L)}$ über ($\psi_k^{(L')}$ normiert angenommen).

Befindet sich ein System im Zustand $\psi^{(L)}$ mit dem scharfen Eigenwert $\lambda^{(L)}$ (Operator $\underline{O}_L$), so stellt

$$M_{kk}^{(L')} = \int \psi_k^{(L)*} \, \underline{O}_{L'} \psi_k^{(L)} \, d\tau \tag{66}$$

den *Mittelwert* der Größe $\lambda^{(L')}$ (Eigenwert von $\underline{O}_{L'}$) am gleichen System dar, weil $\lambda^{(L')}$ keinen scharfen Wert annimmt. Wir schreiben also

$$M_{kk}^{(L')} \equiv \overline{\lambda}^{(L')}, \tag{66a}$$

wobei der Querstrich auf den Mittelwert hinweist. $\overline{\lambda}^{(L')}$ bedeutet den Mittelwert aus den durch eine Wahrscheinlichkeitsverteilung beschriebenen Werten der Observablen L'.

Übergangselemente $M_{ik}^{(L')}$ können als ein Maß für den Übergang des Systems vom Zustand $\psi_i^{(L)}$ nach $\psi_k^{(L)}$ (oder umgekehrt) verstanden werden, wobei $\underline{O}_{L'}$ der jeweiligen Fragestellung angepaßt ist. Für $\underline{O}_{L'} \equiv V(\mathfrak{r}, t)$, wenn $V(\mathfrak{r}, t)$ eine zeitabhängige Störung bedeutet, ist $M_{ik}^{(L')}$ ein Maß für den Übergang $\psi_i \leftrightarrow \psi_k$ unter dem Einfluß dieser Störung.

Die Berechnungen von Übergangselementen und Erwartungswerten liefern alle Informationen, die im Rahmen der Wellen-(Quanten-)Mechanik von einem System erhalten werden können! Mathematisch stellen diese Informationsquellen die Matrizen dar, die den jeweiligen Operatoren zugeordnet werden können. Die entscheidende Rolle spielen dabei die ψ-Funktionen, die bekannt (oder näherungsweise bekannt) sein müssen!

δ) *Spezielle Operatoren, Operatorenbeziehungen*

Nach der klassischen Mechanik ergeben sich die Komponenten des Drehimpulsvektors zu

$$\begin{aligned} M_x &= yP_z - zP_y \\ M_y &= zP_x - xP_z \\ M_z &= xP_y - yP_x. \end{aligned} \tag{65}$$

In der Wellenmechanik ergeben sich daher die entsprechenden Operatoren nach (62a) und (62b) zu

$$\begin{aligned} \underline{M}_x &= -i\left\{y\frac{\partial}{\partial z} - z\frac{\partial}{\partial y}\right\} \\ \underline{M}_y &= -i\left\{z\frac{\partial}{\partial x} - x\frac{\partial}{\partial z}\right\} \\ \underline{M}_z &= -i\left\{x\frac{\partial}{\partial y} - y\frac{\partial}{\partial x}\right\}. \end{aligned} \tag{66}$$

Das Quadrat des Drehimpulsvektors ist nach (Abschn. 2c; 173a)

$$M^2 = M_x^2 + M_y^2 + M_z^2 \tag{67}$$

gegeben, so daß auch wellenmechanisch

$$\underline{M}^2 = \underline{M}_x^2 + \underline{M}_y^2 + \underline{M}_z^2 \tag{68}$$

resultiert. Liegen n Elektronen vor, so ist:

$$\begin{aligned} \underline{M}_x &= \sum_{i=1}^{n} \underline{M}_{x_i} \\ \underline{M}_y &= \sum_{i=1}^{n} \underline{M}_{y_i} \\ \underline{M}_z &= \sum_{i=1}^{n} \underline{M}_{z_i}, \end{aligned} \tag{69}$$

wenn z. B. M_{xi} die x-Komponente des Drehimpulses des i-ten Elektrons darstellt (entsprechend der Operator). Aus (66) folgt weiter

$$\begin{aligned} \underline{M}_x\underline{M}_y - \underline{M}_y\underline{M}_z &= i\underline{M}_z \\ \underline{M}_y\underline{M}_z - \underline{M}_z\underline{M}_y &= i\underline{M}_x \\ \underline{M}_z\underline{M}_x - \underline{M}_x\underline{M}_x &= i\underline{M}_y. \end{aligned} \tag{70}$$

Man sagt: Die Operatoren $\underline{M}_x, \underline{M}_y, \underline{M}_z$ sind *nicht miteinander vertauschbar*, im Gegensatz zu den *Vertauschungsrelationen*

$$\underline{M}_z \underline{M}^2 - M^2 \underline{M}_z = 0 \tag{71}$$

und

$$\underline{M}^2 \mathcal{H} - \mathcal{H} \underline{M}^2 = 0 \tag{72}$$

oder

$$\begin{aligned} \underline{M}_x \mathcal{H} - \mathcal{H} \underline{M}_x &= 0 \\ \underline{M}_y \mathcal{H} - \mathcal{H} \underline{M}_y &= 0 \\ \underline{M}_z \mathcal{H} - \mathcal{H} \underline{M}_z &= 0, \end{aligned} \tag{73}$$

wobei (73) allerdings nur gilt, wenn im Potential von $\mathcal{H}$ sogenannte *Zentralkräfte* vorliegen, also Potentiale, die von einem Zentrum aus auf die Elektronen wirken (Atome und Ionen). Bei Molekülen gelten die Vertauschungen (73) in der Regel nicht. Nur bei linearen Molekülen bleibt noch

$$\underline{M}_z \mathcal{H} - \mathcal{H} \underline{M}_z = 0 \tag{74}$$

erhalten, wenn das Molekül in der *z*-Achse liegt.

Da das Elektron einen *Eigendrehimpuls* besitzt, so existieren auch *Spinoperatoren* $\underline{S}$, die entsprechend (65) zu definieren sind. Da der Spin nur in einer Richtung (oder entgegengesetzt) vorkommen kann, so haben wir die Operatorengleichungen

$$\begin{aligned} \underline{S}_z \alpha(\sigma) &= \frac{\hbar}{2} \alpha(\sigma) \\ \underline{S}_z \beta(\sigma) &= -\frac{\hbar}{2} \beta(\sigma), \end{aligned} \tag{75}$$

wenn wir den Spin in *z*-Richtung legen. α und β sind die *Spinwellenfunktionen* zu den beiden Richtungsmöglichkeiten. Die Eigenwerte $\lambda^{(L)}$ mit $L = S$ sind hier (wie oben schon bemerkt) $\frac{\hbar}{2}$ und $-\frac{\hbar}{2}$. In atomaren Einheiten geht daher (75) über in

$$\begin{aligned} \underline{S}_z \alpha &= \frac{1}{2} \alpha \\ \underline{S}_z \beta &= -\frac{1}{2} \beta. \end{aligned} \tag{75a}$$

Bei n Elektronen ist wieder

$$\underline{S}_z = \sum_{i=1}^{n} \underline{S}_{z_i} \tag{76}$$

und

$$\underline{S}^2 = \sum_{i=1}^{n} \underline{S}_i^2 \tag{77}$$

mit

$$\underline{S}_i^2 = \underline{S}_{x_i}^2 + \underline{S}_{y_i}^2 + \underline{S}_{z_i}^2 . \tag{77a}$$

Für die $\underline{S}_x, \underline{S}_y$ und $\underline{S}_z$ gelten wieder die gleichen Vertauschungsrelationen wie für die $\underline{M}_x$, $\underline{M}_y$, $\underline{M}_z$ in (70), sowie

$$\underline{S}^2\,\underline{S}_z - \underline{S}_z\underline{S}^2 = 0 \tag{78}$$

und

$$\underline{S}^2\mathcal{H} - \mathcal{H}\underline{S}^2 = 0 \tag{79}$$

$$\underline{S}_z\mathcal{H} - \mathcal{H}\underline{S}_z = 0\,, \tag{80}$$

da $\mathcal{H}$ nach (34) keine Spinkoordinaten enthält.
Die Bedeutung dieser Vertauschungsrelationen liegt in zwei wichtigen Tatsachen, die sich aus der Operatorenrechnung ergeben:

α) Haben zwei Operatoren $\underline{O}_L$ und $\underline{O}_{L'}$ die gleichen Eigenfunktionen $\psi^{(L)}$, so sind sie miteinander vertauschbar (dieser Satz gilt auch umgekehrt)

β) Sind zwei Funktionen Eigenfunktionen eines Operators O_L zu verschiedenen Eigenwerten $\lambda_i^{(L)}$ und $\lambda_k^{(L)}$ $(i \neq k)$, so verschwindet das Übergangselement dieser beiden Funktionen bezüglich eines Operators $\underline{O}_{L'}$, der mit $\underline{O}_L$ vertauschbar ist *(Nichtkombinationssatz)*.

Aus α) folgt sofort wegen (60), daß ein System gleichzeitig scharfe Werte $\lambda^{(L)}$ und $\lambda^{(L')}$ hat, wenn $\underline{O}_L$ und $\underline{O}_{L'}$ vertauschbar sind. Wegen (70), (71) und (72) kann daher ein Atom (Ion) nur für die Energie, für das Quadrat des Drehimpulses, sowie für dessen z-Komponente scharfe Werte haben (kann gleichzeitig gemessen werden). Ebenfalls ist neben der Energie auch der Gesamtspin und dessen z-Komponente gleichzeitig meßbar. Durch diese Größen kann daher ein Zustand des Systems charakterisiert werden. Die Gesamtenergie kann etwa nach diesen Größen indiziert werden.
Da der Transpositionsoperator in (32) mit allen Operatoren der Wellenmechanik vertauschbar ist, so folgt aus β), daß alle Übergangselemente zwischen Ψ_A und Ψ_S mit diesen Operatoren verschwinden. Man sagt: Ψ_A und Ψ_S kombinieren bezüglich dieser Operatoren nicht miteinander. Es findet kein Übergang statt (siehe Pauliprinzip S. 103).

Aufg. 15 Man prüfe nach, daß $\underline{O} = \frac{d^2}{dx^2}$ ein selbstadjungierter Operator ist.

(Partielle Integration in $\int\limits_{-\infty}^{+\infty} \psi_1 \frac{d^2}{dx^2} \psi_2 dx$; ψ_1, ψ_2 reell.)

Aufg. 16 Man bestimme nach Aufgabe 8 die Eigenfunktionen der beiden tiefsten Eigenwerte und zeige, daß diese, wie erwartet, orthogonal aufeinander sind.

d) Die adiabatische Näherung

Die Schrödingergleichung (33′) beschreibt die Bewegungen der Elektronen und Kerne gleichzeitig. Es liegt also eine partielle Differentialgleichung in $3(n+\mathcal{N})$ Koordinaten vor. Da wegen (49) die Kernmassen wesentlich größer als die der Elektronen sind, so werden sich bei Veränderung der Kernlagen die Elektronen sehr rasch auf den jeweiligen Zustand einstellen und die Bewegungen der Atomkerne werden vergleichsweise dazu sehr viel langsamer sein. Mit anderen Worten: die Bewegungen der Kerne können näherungsweise so aufgefaßt werden, als existierten zwischen diesen Kräfte, die allein eine Funktion ihrer Lage im Raum ist. Erst bei sehr schnellen Kernbewegungen, wenn die Elektronen keine Zeit mehr haben, um sich rasch auf die jeweilige Konfiguration einzustellen, werden diese Kräfte auch noch von der Geschwindigkeit abhängen.

Eine solche Näherung nennt man die *adiabatische Näherung*, da bei langsamer (gleichsam adiabatischer) Veränderung der Kernlagen im Raum ein statisches Potential zwischen den Atomkernen (Zentren) existiert, so daß nach Kenntnis dieser Wechselwirkungen zwischen den Zentren, die von den Elektronen erzeugt werden, die Bewegungen der Kerne näherungsweise ohne Berücksichtigung der Elektronen studiert werden können. Dieser Standpunkt ist im wesentlichen mit der *Born-Oppenheimer-Näherung* identisch.

Setzen wir für Ψ

$$\boxed{\Psi(\mathfrak{r}, \sigma, \mathfrak{R}, t) = \psi(\mathfrak{r}, \mathfrak{R}, \sigma)\, \chi(\mathfrak{R}, t)} \tag{81}$$

und schreiben diesen Ansatz in (33′) mit (37′a) hinein, so erhalten wir

$$\begin{aligned}\mathcal{H}\Psi = &-\frac{1}{2\hat{m}}\psi \sum_{\lambda=1}^{\mathcal{N}} \frac{1}{M_\lambda} \Delta_\lambda \chi - \frac{1}{\hat{m}} \sum_{\lambda=1}^{\mathcal{N}} \frac{1}{M_\lambda} \nabla_\lambda \psi \nabla_\lambda \chi - \frac{\chi}{2\hat{m}} \sum_{\lambda=1}^{\mathcal{N}} \frac{1}{M_\lambda} \Delta_\lambda \psi \\ &-\frac{1}{2}\chi \sum_{i=1}^{n} \Delta_i \psi + (V + \overline{W})\chi\psi = i\psi \frac{\partial \chi}{\partial t}.\end{aligned} \tag{82}$$

Nehmen wir an, daß die Schrödingergleichung für *festgehaltene Kerne* gelöst sei

$$\boxed{\left\{-\frac{1}{2}\sum_{i=1}^{n} \Delta_i + V + \overline{W}\right\} \psi_k(\mathfrak{r}, \mathfrak{R}, \sigma) = \mathcal{H}_e \psi_k(\mathfrak{r}, \mathfrak{R}, \sigma) = \mathfrak{E}_k(\mathfrak{R})\, \psi_k(\mathfrak{r}, \mathfrak{R}, \sigma),} \tag{83}$$

indem dabei χ bezüglich $\mathfrak{R}$ eine Konstante ist, so geht (82) über in

$$\psi_k \left\{-\frac{1}{2\hat{m}} \sum_{\lambda=1}^{\mathcal{N}} \frac{\Delta_\lambda}{M_\lambda} \chi - i\frac{\partial \chi}{\partial t} + \mathfrak{E}_k(\mathfrak{R})\chi\right\} - \Lambda_k = 0 \tag{84}$$

mit

$$\Lambda_k = \frac{1}{\hat{m}} \sum_{\lambda=1}^{\mathcal{N}} \frac{1}{M_\lambda} \nabla_\lambda \psi_k \nabla_\lambda \chi + \frac{\chi}{2\hat{m}} \sum_{\lambda=1}^{\mathcal{N}} \frac{1}{M_\lambda} \Delta_\lambda \psi_k. \tag{84a}$$

Nach dem oben diskutierten Näherungsstandpunkt wird Λ_k sehr klein sein, da einmal die Faktoren $1/\hat{m}M_\lambda$ den Ausdruck klein halten werden, zum anderen dürfte ψ_k gegenüber χ viel unempfindlicher im Hinblick auf Änderungen der Kernlagen sein, denn ψ_k stellt ja nach (83) die *Wellenfunktion der Elektronen* dar, wenn die Kerne festgehalten werden. Eine kleine Änderung von $\mathfrak{R}$ (der Kernlagen) wird daher die Elektronenverteilung nur wenig ändern, während χ, als *Wellenfunktion der Kerne*, wesentlich empfindlicher sein muß. Setzen wir also nach der adiabatischen Näherung

$$\boxed{\Lambda_k \equiv 0}\,, \tag{85}$$

so folgt aus (84), da ψ und χ voneinander unabhängig sind, die Schrödingergleichung der *Kernbewegungen* allein:

$$\boxed{\left\{-\frac{1}{2\hat{m}}\sum_{\lambda=1}^{N}\frac{\Delta_\lambda}{M_\lambda}+\mathcal{E}_k(\mathfrak{R})\right\}\chi = i\,\frac{\partial\chi}{\partial t}} \tag{86}$$

Die Kerne bewegen sich, wie oben schon bemerkt, im Potentialfeld $\mathcal{E}_k(\mathfrak{R})$. *Die zeitabhängige Schrödingergleichung kann durch zwei Gleichungen (83) und (86) ersetzt werden, wenn (85) angenommen wird.* Gleichung (83) enthält nur die $4n$ Elektronenkoordinaten (einschl. Spin), während (86) nur in den Kernkoordinaten definiert ist. Für stationäre Zustände des Kernsystems geht (86) über in

$$\mathcal{H}_K\chi \equiv \left\{-\frac{1}{2\hat{m}}\sum_{\lambda=1}^{N}\frac{\Delta_\lambda}{M_\lambda}+\mathcal{E}_k(\mathfrak{R})\right\}\chi = \bar{\mathcal{E}}\chi \tag{86a}$$

wobei ähnlich wie in (43) vorgegangen wird. $\bar{\mathcal{E}}$ stellt die Energiezustände der Kerne im Potential $\mathcal{E}_k(\mathfrak{R})$ dar.

e) Energiefunktionen und Molekülschwingungen

) *Energiehyperflächen*

Die Kenntnis von $\mathcal{E}_k(\mathfrak{R})$ ist zur Behandlung der Kernbewegungen notwendig, wobei je nach Elektronenzustand ψ_k in (83) eine spezielle Energiefunktion $\mathcal{E}_k(\mathfrak{R})$ der Kernlagen vorliegt. Da $\mathcal{E}_k$ unverändert bleibt, wenn das ganze Kerngerüst starr rotiert oder translatorisch bewegt wird, und diese beiden Bewegungen (die Vektoren sind) durch 6 Bestimmungsstücke (6 Komponenten) festgelegt werden können, so sind alle $3N$ Kernkoordinaten (nach (3a)) nicht völlig unabhängig. Es existieren vielmehr nur $F = 3N - 6$ unabhängige Kernkoordinaten. Liegen alle N Kerne auf einer Geraden vor, so ist in diesem Falle $F = N - 1$.

Für $\mathcal{N} = 2$ $(F = 1)$ ist $\mathcal{E}_k(\mathfrak{R}) \equiv \mathcal{E}_k(R)$ für den Grundzustand $(k = 0)$ bei einem stabilen zweiatomigen Molekül qualitativ wie in Abb. 38 zu erwarten.

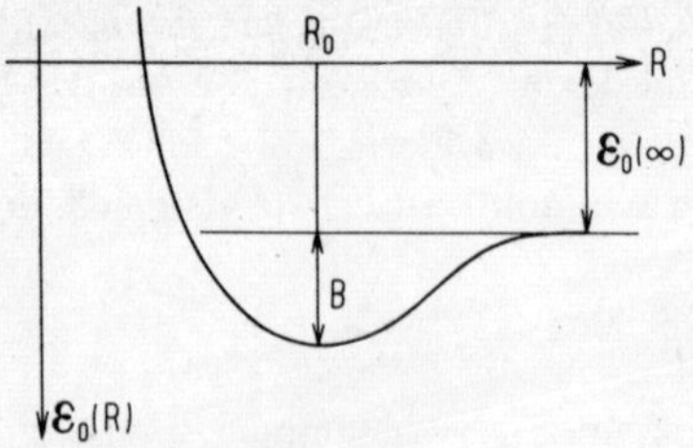

Abb. 38

Dabei ist R_0 der Gleichgewichtsabstand (Bindungsabstand) und B die Bindungsenergie, also der größte Energiegewinn bei $R = R_0$ gegenüber der Energie $\mathcal{E}_0(\infty)$ der getrennten Atome. Stoßen sich die beiden Atome ab, so resultiert ungefähr ein Kurvenbild nach Abb. 39.

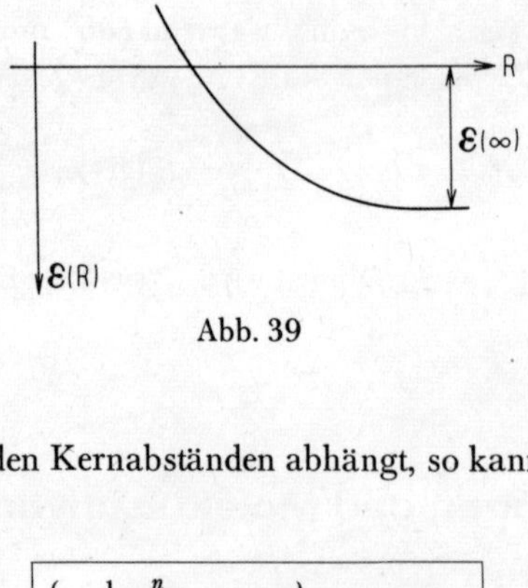

Abb. 39

Da in (83) $\overline{W}$ nur von den Kernabständen abhängt, so kann (83) auch geschrieben werden

$$\left\{-\frac{1}{2}\sum_{i=1}^{n} \Delta_i + V\right\} \psi_k = E_k \psi_k \tag{83a}$$

mit

$$\mathcal{E}_k = E_k + \overline{W} = E_k + \sum_{\lambda=1}^{\mathcal{N}-1} \sum_{\mu=\lambda+1}^{\mathcal{N}} \frac{Z_\lambda Z_\mu}{R_{\lambda\mu}}. \tag{83b}$$

E stellt die *reine Elektronenenergie* des Systems als Funktion der Kernkoordinaten (Kernparameter) dar. $\overline{W}$ *ist vom Elektronenzustand nicht abhängig*, gleichzeitig ist E für $R \to 0$ endlich, da $E(0)$ die Energie eines Atoms bedeutet, welches die Summe der Kernladungen der beiden Atome im Molekül besitzt („vereinigtes Atom"). $E(R)$ hat schematisch einen Verlauf nach Abb. 40.

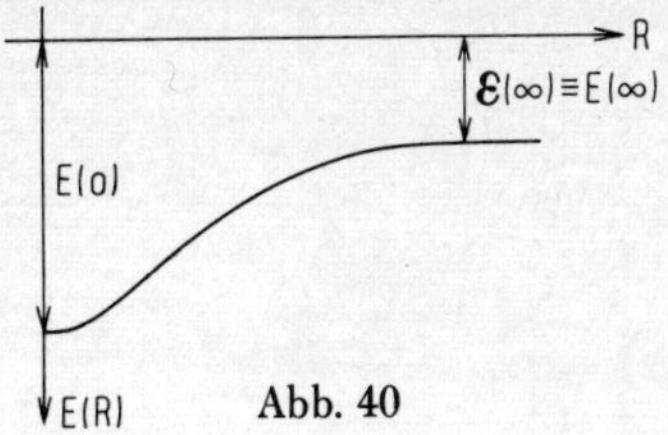

Abb. 40

Das Unendlichwerden von $\mathcal{E}(R)$ *für* $R \to 0$ *rührt allein von* $\overline{W}$ *her!*

Neben dem Grundzustand existieren in der Regel noch weitere $\mathcal{E}_k$-Kurven(k=0,1,2,...) (Abb. 41).

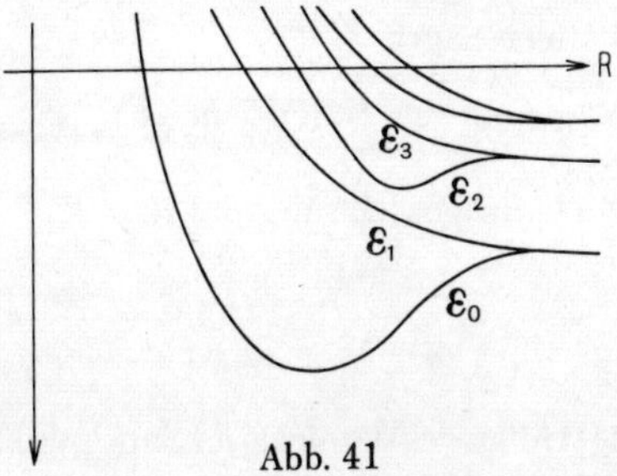

Abb. 41

Bei jedem *bestimmten* R-Wert werden Energiediagramme wie in Abb. 35 erhalten. Danach schließt sich in Abb. 41 weiter oben ebenfalls ein Kontinuum an. Für $N = 3$ ist ebenfalls $F = 3$. Energiefunktionen $\mathcal{E}_k(\mathfrak{R})$ werden für $N > 2$ oft als *Energiehyperflächen* bezeichnet, da sie mathematisch in einem „F+1-dimensionalen-Raum" als „Flächen" aufgefaßt werden können; ähnlich dem 3-dimensionalen Raum, dessen Flächen von der Dimension $3 - 1 = 2$ sind. Liegen die Atome auf einer Geraden, so ist bei $N = 3$ noch eine graphische Darstellung von $\mathcal{E}$ möglich, da $F = 2$. Es entsteht dann ein „Energiegebirge", dessen Höhenschichtlinien, wenn das lineare Molekül stabil ist, schematisch das folgende Aussehen haben (Abb. 42).

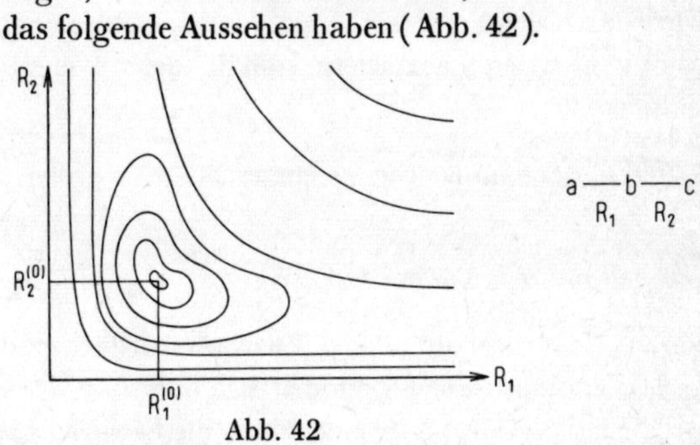

Abb. 42

Die stabile Konstellation der Kerne ist bei $R_1 = R_1^{(0)}$ und $R_2 = R_2^{(0)}$ vorhanden. Liegt kein stabiles dreiatomiges Molekül vor, so ist die Energiefläche im linearen Fall ungefähr wie in Abb. 43 zu erwarten.

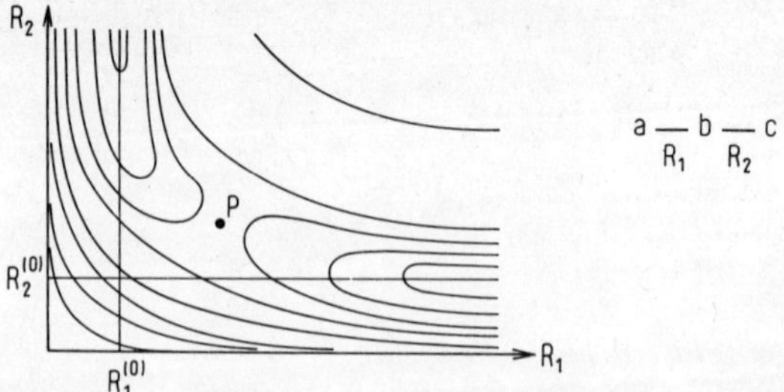

Abb. 43

Wir haben also nur die stabilen Lagen

$$a \ldots b - c \quad \text{oder} \quad a - b \ldots c. \tag{87}$$

Das Molekül $a-b$ hat den Gleichgewichtsabstand $R_1 = R_1^{(0)}$. Für $b-c$ beträgt dieser $R_2 = R_2^{(0)}$.

Bei der Reaktion

$$a + bc \rightleftarrows ab + c \tag{88}$$

ist zu erwarten, daß die Höhe des Punktes P (Sattelpunkt) gegenüber den beiden Tälern der Zustände in (87) eine wichtige Rolle spielt und im Zusammenhang mit der Aktivierungsenergie stehen muß. Die Reaktion läuft dabei näherungsweise auf der Energiefläche ab.

Für $N > 3$ sind die Energiehyperflächen nicht mehr graphisch darstellbar.

Die Energiefunktionen $\mathcal{E}_k(\mathfrak{R})$ können auf zwei Weisen erhalten werden:

1. Berechnung mit Hilfe der *Schrödingergleichung des Elektronensystems*, wobei $\mathcal{E}(\mathfrak{R})$, da die Kerne festgehalten gedacht sind, für eine Anzahl von Kernlagen bestimmt wird.
2. $\mathcal{E}(\mathfrak{R})$ wird durch einen *plausiblen analytischen Ansatz* approximiert, der noch eine Reihe von freien Parametern enthält, die an empirischen Werten justiert werden können.

Beide Wege sind in der Quantenchemie eingeschlagen worden!

β) Atomkernbewegungen, Nullpunktsenergie

Nach (86a) ergeben sich auf diesen Energiehyperflächen die einzelnen Energiezustände $\bar{\mathcal{E}}$ des Kerngerüstes. Es handelt sich dabei um *Molekülschwingungen* und *Rotationen.* Mit Hilfe von $\chi(\mathfrak{R})$ können dann die Erwartungswerte und Übergangselemente berechnet werden, die Auskünfte darüber geben, zwischen welchen Zuständen Übergänge zu erwarten sind (welche Zustände miteinander kombinieren). Zur Zeit sind nur Energiekurven (Potentialkurven) für $\mathcal{N} = 2$, sowie erste Anfänge für $\mathcal{N} = 3$ und 4 vorhanden. Die Bestimmung von $\bar{\mathcal{E}}$-Zuständen ist bisher nur befriedigend für zweiatomige Moleküle gelungen. Schwingungszustände für Moleküle mit mehr als zwei Atomen können nur unter sehr vereinfachenden Annahmen über $\mathcal{E}(\mathfrak{R})$ berechnet werden.

Für $\mathcal{N} = 2$ lassen sich die einzelnen Schwingungs- und Rotationszustände noch graphisch erfassen, indem diese z. B. in die Abb. 38 eingezeichnet werden (Abb. 44).

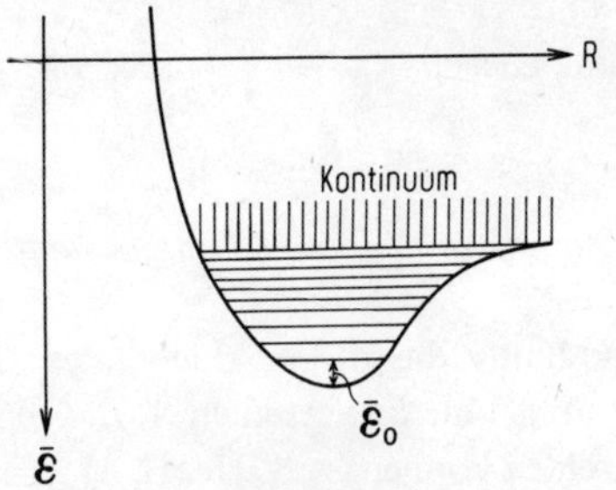

Abb. 44

Auch bei den Schwingungs- und Rotationszuständen tritt (ähnlich wie in Abb. 35) ein Kontinuum auf, das zur Dissoziation des Moleküls führt. Den tiefsten $\bar{\mathcal{E}}$-Zustand $\bar{\mathcal{E}}_0$ nennt man die *Nullpunktenergie*. Von diesem tiefsten Schwingungszustand ab, bei dem keine Rotation vorliegt, ist die *Dissoziationsenergie D* zu bestimmen. Es gilt daher für jede Energiekurve $\mathcal{E}_k$, die ein Minimum hat (Abb. 45).

$$D_k = B_k + \bar{\mathcal{E}}_0^{(k)}; \qquad (B \leq 0; \quad \bar{\mathcal{E}}_0 > 0). \tag{89}$$

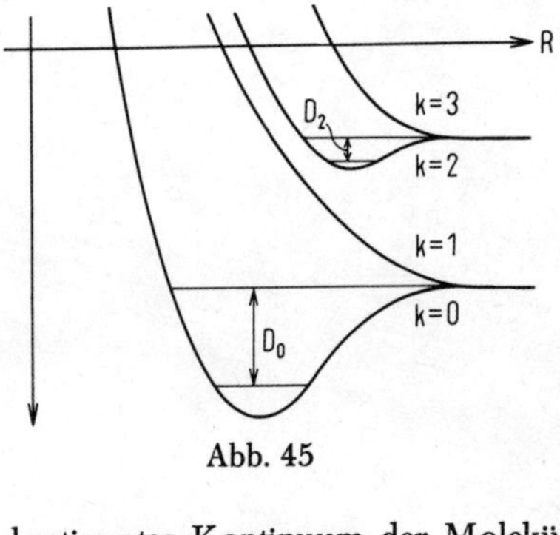

Abb. 45

Für jedes $\mathcal{E}_k$ gibt es ein bestimmtes Kontinuum der Molekülrotation und -schwingung. k numeriert die Elektronenzustände, bei denen sich dann die Kernbewegungen abspielen, wobei Rotation und Schwingung nicht voneinander unabhängig sind.

Die Differenzen der Rotationsniveaus sind wesentlich kleiner als die der Schwingungszustände, daher liegt bei tiefen Temperaturen oft nur der tiefste Schwingungszustand *(Nullpunktschwingung)* vor, während noch einige angeregte Rotationszustände vom System eingenommen werden können. Die Nullpunktschwingung hängt vom Verlauf der Kurve im Minimum ab.
Bei $\Lambda = 2$ können die $\bar{\mathcal{E}}$-Zustände durch zwei Indizes (J, v) abgezählt werden

$$\bar{\mathcal{E}} = \bar{\mathcal{E}}^{(k)}_{J,v} \quad \begin{matrix} (J = \text{Abzählung der Rotationszustände}) \\ (v = \text{Abzählung der Schwingungszustände}) \end{matrix} \tag{90}$$

Es gilt dann für die Nullunktenergie

$$\bar{\mathcal{E}} = \bar{\mathcal{E}}^{(k)}_{0,0}. \tag{90a}$$

Man nennt J und v die *Quantenzahlen der Rotation und der Schwingung.*

Aufg. 17 Man zeichne qualitativ die Höhenschichtlinien einer Energiefläche, die der linearen Anordnung von drei Atomen *A*, *B*, *C* entspricht, wobei nur *B* und *C* ein Molekül bilden können (z. B. He, H, H).

Aufg. 18 Wie sieht (qualitativ) die Kurve eines zweiatomigen metastabilen Moleküls aus (z. B. He_2^{++})? Man zeichne einige Schwingungszustände in die Kurve und diskutiere diese Darstellung.

4. Einige Näherungsverfahren und Vorstellungen der Quantenchemie

A) Allgemeine Verfahrensweisen

a) Das Variationsverfahren

α) Ritzsches Verfahren

Für die zeitunabhängige Schrödingergleichung (stationäre Zustände) nach (44) oder nach den beiden Gleichungen (83) (Elektronenzustände) und (86a) (Kerngerüstzustände), die sich durch die adiabatische Näherung aus der zeitabhängigen Schrödingergleichung (33′) (bzw. (33)) ergeben (stationäre Gleichungen), gilt die Behauptung: Stellt $\widetilde{\psi}$ bzw. $\widetilde{\chi}$ irgendeine normierbare Funktion dar, so ist der Ausdruck (Erwartungswert von $\mathcal{H}$, bzw. von $\mathcal{H}_e$ oder $\mathcal{H}_K$)

$$\widetilde{\mathcal{E}}^{(k)} = \frac{\int \widetilde{\psi}^{(k)*}\, \mathcal{H}\, \widetilde{\psi}^{(k)}\, \mathrm{d}\tau}{\int \widetilde{\psi}^{(k)*}\, \widetilde{\psi}^{(k)}\, \mathrm{d}\tau}; \qquad \psi \equiv \psi^{(k)} \tag{1}$$

immer *größer oder gleich dem tiefsten Energiewert* $\mathcal{E}_0$ des Systems (Grundzustand). Ist $\widetilde{\psi}$ normiert, so gilt also

$$\int \widetilde{\psi}^{*}\, \mathcal{H}\, \widetilde{\psi}\, \mathrm{d}\tau \geq \mathcal{E}_0; \qquad \int \widetilde{\psi}^{*}\, \widetilde{\psi}\, \mathrm{d}\tau = 1. \tag{2}$$

Stellen die $\widetilde{\psi}^{(k)}$ eine Funktionenfolge dar, die gegen die exakte Lösung des Grundzustandes konvergiert (Grenzfunktion)

$$\lim_{k\to\infty} \widetilde{\psi}^{(k)} = \psi_0; \qquad (k = 0, 1, 2 \ldots), \tag{3}$$

so gilt darüber hinaus

$$\lim_{k\to\infty} \widetilde{\mathcal{E}}^{(k)} = \mathcal{E}_0. \tag{3a}$$

Man darf daraus den Schluß ziehen, daß

$$\widetilde{\psi} \approx \psi \tag{4}$$

gilt, wenn $\widetilde{\mathcal{E}}$ nur wenig von $\mathcal{E}$ abweicht.

In der Praxis werden die Funktionen $\widetilde{\psi}$ analytisch angesetzt, wobei diese noch freie Parameter $c_j\,(j = 1, \ldots, M)$ enthalten, und es wird dann mit diesen Funktionen der Ausdruck (1) minimisiert, indem die c_j variiert werden:

$$\widetilde{\mathcal{E}} = \widetilde{\mathcal{E}}(c_1, c_2, \ldots, c_M) = \min, \quad \text{wenn} \quad \widetilde{\psi} = \psi(\mathfrak{r}, \sigma;\ c_1, \ldots, c_M). \tag{5}$$

Daraus ergibt sich dann ein $\widetilde{\psi}$ (mit den „besten“ c_j), welches als eine Näherungsfunktion für das exakte ψ_0 aufgefaßt werden kann! Nach (Abschnitt 2d; 283) lassen sich die c_j aus den Gleichungen

$$\frac{\partial \widetilde{\mathcal{E}}}{\partial c_j} = 0; \qquad (j = 1, \ldots, M) \tag{6}$$

bestimmen, wobei in der Praxis auf eine nähere Untersuchung des Extremums, was als Minimum *angenommen* wird, verzichtet wird. Sind diese Gleichungen zu kompliziert, so wird in der Praxis eine *Tabellierung* von $\widetilde{\mathcal{E}}(c_1 \ldots c_M)$ in den c_j vorgenommen, aus der die $\widetilde{\mathcal{E}}$-minimisierenden c_j herausgelesen werden können.
Wird $\widetilde{\psi}$ im besonderen in der Form (*Ritzsches Näherungsverfahren*)

$$\widetilde{\psi} = \sum_{j=1}^{M} c_j \varphi_j \tag{7}$$

angesetzt, wenn von einem *linearunabhängigen Funktionensatz* $\varphi_1, \ldots, \varphi_M$ ausgegangen wird, so ergeben sich die Gleichungen (6) mit $\widetilde{\mathcal{E}}$ nach (1) in der Form

$$\begin{aligned}
c_1(H_{11} - \widetilde{\mathcal{E}} S_{11}) + c_2(H_{12} - \widetilde{\mathcal{E}} S_{12}) + \cdots + c_M(H_{1M} - \widetilde{\mathcal{E}} S_{1M}) &= 0\\
c_1(H_{21} - \widetilde{\mathcal{E}} S_{21}) + c_2(H_{22} - \widetilde{\mathcal{E}} S_{22}) + \cdots + c_M(H_{2M} - \widetilde{\mathcal{E}} S_{2M}) &= 0\\
\vdots \qquad\qquad\qquad\qquad\qquad\qquad\qquad & \vdots\\
c_1(H_{M1} - \widetilde{\mathcal{E}} S_{M1}) + c_2(H_{M2} - \widetilde{\mathcal{E}} S_{M2}) + \cdots + c_M(H_{MM} - \widetilde{\mathcal{E}} S_{MM}) &= 0
\end{aligned} \tag{8}$$

und werden *Säkulargleichungen* genannt. Sie stellen ein *homogenes Gleichungssystem für die M Unbekannten* c_j dar, dessen Koeffizienten a_{ij} (vgl. Abschnitt 2b; 129a) sich zu

$$a_{ij} = H_{ij} - S_{ij}\widetilde{\mathcal{E}} \tag{8a}$$

ergeben. Im einzelnen ist

$$\begin{aligned}
H_{ij} &= \int \varphi_i^* \mathcal{H} \varphi_j \, d\tau\\
S_{ij} &= \int \varphi_i^* \varphi_j \, d\tau .
\end{aligned} \tag{8b}$$

Wie oben schon betont, gelten diese Gleichungen auch dann, wenn $\mathcal{H}$ ein anderer, zu stationären Zuständen gehörender, Hamiltonoperator ist (z. B. $\mathcal{H}_e$ oder $\mathcal{H}_K$). Für $\mathcal{H}_K$ sind dann an Stelle von $\widetilde{\psi}$ die Funktionen $\widetilde{\chi}$ zu verwenden! Aus der homogenen Form von (2b;129a) folgt aus (2b;155), daß die Determinante der a_{ij} nach (8a) verschwinden muß, wenn eine nichttriviale Lösung der c_j in (8) vorliegen soll.

$$D = \begin{vmatrix} H_{11} - \widetilde{\mathcal{E}} S_{11} & \ldots & H_{1M} - \widetilde{\mathcal{E}} S_{1M}\\ \vdots & & \vdots\\ H_{M1} - \widetilde{\mathcal{E}} S_{M1} & \ldots & H_{MM} - \widetilde{\mathcal{E}} S_{MM} \end{vmatrix} \equiv 0. \tag{9}$$

Man nennt die linke Seite von (9) die *Säkulardeterminante des Gleichungssystems (8)*. Die Ausrechnung der Determinante liefert ein Polynom M-ten Grades in $\widetilde{\mathcal{E}}$

$$D = \widetilde{\mathcal{E}}^M + A_{M-1}\widetilde{\mathcal{E}}^{M-1} + \cdots + A_1\widetilde{\mathcal{E}} + A_0 = 0, \tag{10}$$

welches nach einem Satz der Mathematik genau M $\widetilde{\mathcal{E}}$-Werte (Wurzeln) besitzt, für die (10) erfüllt ist. Die A_j ($j = 0,\ldots,M-1$) sind bekannte Koeffizienten, die von H_{ij} und S_{ij} abhängen. Sind die Matrizen der Elemente in (8b) hermitisch, so hat (10) nur reelle Wurzeln. Wie wir oben feststellten, sind H_{ij} und S_{ij} als zugeordnete Matrizen zu den Operatoren $\mathcal{H}$ und 1 hermitisch, da die entsprechenden Operatoren hermitisch sind.

Für die M reellen $\widetilde{\mathcal{E}}$-Werte $\widetilde{\mathcal{E}}_0$, $\widetilde{\mathcal{E}}_1 \ldots \widetilde{\mathcal{E}}_{M-1}$, die Wurzeln von (10) sind, gilt die wichtige Beziehung

$$\boxed{\widetilde{\mathcal{E}}_j \geq \mathcal{E}_j}\ , \tag{11}$$

wenn $\mathcal{E}_j$ die exakten Energieeigenwerte von

$$\mathcal{H}\psi_j = \mathcal{E}_j\,\psi_j\,. \tag{12}$$

sind. Setzt man diese $\widetilde{\mathcal{E}}_j$-Werte in (8) ein, so erhält man jeweils zu jedem $\widetilde{\mathcal{E}}_j$ bestimmte c_j-Werte, die die Gleichungen (8) erfüllen:

$$\begin{array}{llll} \widetilde{\mathcal{E}}_0: & c_{01}, c_{02}, c_{03}, & \ldots & c_{0M} \\ \widetilde{\mathcal{E}}_1: & c_{11}, c_{12}, c_{13}, & \ldots & c_{1M} \\ \vdots & \vdots \quad \vdots & & \vdots \\ \widetilde{\mathcal{E}}_{M-1}: & c_{M-1,1}, c_{M-1,2}, c_{M-1,3}, & \ldots & c_{M-1,M}. \end{array} \tag{13}$$

Das heißt: Die zu $\widetilde{\mathcal{E}}_j$ gehörende Näherungsfunktion $\widetilde{\psi}_j$ von ψ_j, ist

$$\widetilde{\psi}_j = \sum_{k=1}^{M} c_{jk}\,\varphi_k \approx \psi_j. \tag{14}$$

Man bezeichnet die $c_{j1},\ldots,c_{jM}$ als *Eigenvektor* $\mathfrak{C}_j$ *des Säkularproblems* zum Eigenwert $\widetilde{\mathcal{E}}_j$. Für die Lösungen $\widetilde{\psi}_j$ des Säkularproblems gilt

$$\int \widetilde{\psi}_j^*\,\mathcal{H}\,\widetilde{\psi}_i\,\mathrm{d}\tau = \widetilde{\mathcal{E}}_j\,\delta_{ji} \tag{15a}$$

$$\int \widetilde{\psi}_j^*\,\widetilde{\psi}_i\,\mathrm{d}\tau = \delta_{ji}. \tag{15b}$$

D. h.: Die Lösungen (7) aus (8), (9) und (10) ergeben bezüglich $\mathcal{H}$ und 1 Diagonalmatrizen, wobei im letzten Falle eine Einheitsmatrix resultiert. Da die exakten Lösungen von (12) ebenfalls ein orthogonales und normiertes Funktionensystem darstellen, gilt (15a) und (15b) ebenfalls für die exakten Lösungen von (12). Wir können daher den allgemeinen Satz aussprechen:

Liegt die Operatorengleichung

$$\mathcal{O}_L \, \psi_k^{(L)} = \lambda_k^{(L)} \, \psi_k^{(L)} \tag{16}$$

vor und wissen wir, daß Linearkombinationen von Funktionen $\varphi_j^{(L)} (j = 1, \ldots, M)$ die exakten Lösungen oder Näherungen von (16) darstellen können

$$\psi_k^{(L)} = \sum_{j=1}^{M} c_{kj} \, \varphi_j^{(L)}, \tag{16a}$$

so werden die c_{kj} aus einem Säkulargleichungssystem

$$\left(\boldsymbol{O}^{(L)} - \lambda_j^{(L)} \boldsymbol{S}^{(L)}\right) \mathfrak{C}_j = 0; \qquad (j = 1, \ldots, M) \tag{16b}$$

erhalten, wenn

$$\boldsymbol{O}^{(L)} = \begin{bmatrix} O_{11}^{(L)} & \ldots & O_{1M}^{(L)} \\ & & \vdots \\ O_{M1}^{(L)} & \ldots & O_{MM}^{(L)} \end{bmatrix} \tag{16c}$$

und

$$\boldsymbol{S}^{(L)} = \begin{bmatrix} S_{11}^{(L)} & \ldots & S_{1M}^{(L)} \\ & & \vdots \\ S_{M1}^{(L)} & \ldots & S_{MM}^{(L)} \end{bmatrix}, \tag{16d}$$

wobei

$$\begin{aligned} O_{ij}^{(L)} &= \int \varphi_i^{(L)*} \, \mathcal{O}_L \, \varphi_j^{(L)} \, d\tau \\ S_{ij}^{(L)} &= \int \varphi_i^{(L)*} \, \varphi_j^{(L)} \, d\tau, \end{aligned} \tag{16e}$$

und die $\lambda_j^{(L)}$ die Eigenwerte (oder deren Näherungen) in (16) bedeuten.
Betrachtet man nochmals (15a) und führt dort (14) ein, so erhält man, mit (8b),

$$\sum_{m=1}^{M} \sum_{l=1}^{M} c_{jl}^* \, H_{lm} \, c_{im} = \widetilde{\varepsilon}_j \, \delta_{ij} \tag{17}$$

was sich in Matrixform wie folgt schreiben läßt

$$\mathfrak{C}^+ \mathfrak{H} \mathfrak{C} = \widetilde{\varepsilon}, \tag{17a}$$

wenn $\mathfrak{H}$ die Matrix der H_{ij} bedeutet und $\widetilde{\varepsilon}$ die Diagonalmatrix der $\widetilde{\varepsilon}_j$ darstellt

$$\widetilde{\varepsilon} = \begin{pmatrix} \widetilde{\varepsilon}_1 & & 0 \\ & \ddots & \\ 0 & & \widetilde{\varepsilon}_M \end{pmatrix}. \tag{18}$$

Die Matrix $\mathfrak{C}$ enthält die Eigenvektoren $\mathfrak{C}_j$ als Spalten:

$$\bar{\mathfrak{C}} = \begin{pmatrix} c_{0,1} \cdots\cdots c_{0,M} \\ \vdots \\ c_{M-1,1} \cdots c_{M-1,M} \end{pmatrix}. \tag{19}$$

Die Gleichung (17) bedeutet, daß man im Rahmen des Säkularproblems eine Matrix $\mathfrak{C}$ sucht, die nach (17) die Matrix des $\mathcal{H}$-Operators diagonalisiert, oder: $\mathfrak{C}$ transformiert nach (17) die Matrix von $\mathcal{H}$ in eine Diagonalmatrix, deren Werte die Wurzeln des Säkulargleichungssystems (der Säkulardeterminante) sind. –

β) *Koordinatenstreckung, Virialsätze*

Eine andere Möglichkeit der $\tilde{\psi}$-Variation (bezüglich $\tilde{\mathcal{E}}$-Minimum) besteht darin, eine Näherungsfunktion $\tilde{\psi}\,(\mathfrak{r}, \mathfrak{R}, \sigma)$ anzusetzen und deren Koordinaten durch Einführung der Transformation

$$x' = \eta x \qquad y' = \eta y \qquad z' = \eta z \tag{20}$$

sowie

$$R'_{\lambda x} = \eta R_{\lambda x} \qquad R'_{\lambda y} = \eta R_{\lambda y} \qquad R'_{\lambda z} = \eta R_{\lambda z} \tag{20a}$$

zu verändern. Der Variationsparameter ist hier nur η, den man oft auch den *Skalenparameter* nennt, da seine Variation ein „Strecken" oder „Dehnen" der Koordinaten in $\tilde{\psi}$ darstellt (Koordinatenstreckung oder Koordinatentransformation; „scaling"). Man setzt also

$$\tilde{\psi}_\eta = \eta^{\frac{3n}{2}}\, \tilde{\psi}(\mathfrak{r}', \mathfrak{R}', \sigma); \qquad (n = \text{Anzahl der Elektronen}), \tag{21}$$

wobei durch den Faktor $\eta^{\frac{3n}{2}}$ die $\tilde{\psi}_\eta$-Funktion normiert ist, da

$$d\mathfrak{r}' = \eta^{3n}\, d\mathfrak{r}\,. \tag{22}$$

Führen wir die Transformation (20) (20a) in den Operator von Gleichung (3d; 83) ein, so ergibt sich aus

$$\mathcal{H}_e = -\frac{1}{2} \sum_{i=1}^{n} \Delta_i + V(\mathfrak{r}, \mathfrak{R}) \tag{23}$$

der Ausdruck

$$\mathcal{H}_e = -\frac{\eta^2}{2} \sum_{i=1}^{n} \Delta'_i + \eta V(\mathfrak{r}', \mathfrak{R}') = \eta^2 K + \eta P\,, \tag{23a}$$

wenn

$$\Delta_i' = \frac{\partial^2}{\partial x_i'^2} + \frac{\partial^2}{\partial y_i'^2} + \frac{\partial^2}{\partial z_i'^2} \tag{24a}$$

und nach (37′a)

$$V(\mathfrak{r}', \mathfrak{R}') = -\sum_{\lambda=1}^{N} \sum_{i=1}^{n} \frac{Z_\lambda}{r'_{\lambda i}} + \sum_{i=1}^{n-1} \sum_{j=i+1}^{n} \frac{1}{r'_{ij}} . \tag{24b}$$

Im einzelnen ist noch

$$r'_{\lambda i} = \sqrt{(R'_{\lambda x} - x_i')^2 + (R'_{\lambda y} - y_i')^2 + (R'_{\lambda z} - z_i')^2} \tag{25a}$$

und

$$r'_{ij} = \sqrt{(x_i' - x_j')^2 + (y_i' - y_j')^2 + (z_i' - z_j')^2} . \tag{25b}$$

Berechnet man mit (21) den Erwartungswert von $\mathcal{H}_e$ nach (23a), so erhält man

$$\int \widetilde{\Psi}_\eta^* \mathcal{H}_e \widetilde{\Psi}_\eta \mathrm{d}\mathfrak{r} = \eta^2 \int \widetilde{\Psi}^* \underline{K} \widetilde{\Psi} \mathrm{d}\mathfrak{r} + \eta \int \widetilde{\Psi}^* \underline{P} \widetilde{\Psi} \mathrm{d}\mathfrak{r} , \tag{26}$$

wobei die beiden Integrale (ohne η und η^2) auf der rechten Seite, nach (23a) die Erwartungswerte von kinetischer Energie (Bewegungsenergie) und potentieller Energie darstellen. Die Zuordnung hatten wir im Abschnitt 3c kennengelernt. Nach (3;66a) können wir auch schreiben

$$\widetilde{\mathcal{E}}(\eta) = \eta^2 \widetilde{\widetilde{K}} + \eta \widetilde{\widetilde{P}} . \tag{26a}$$

Um das Minimum von (26a) in η zu erhalten, bilden wir nach (6)

$$\frac{\partial \widetilde{\mathcal{E}}}{\partial \eta} = 2\eta \widetilde{\widetilde{K}} + \widetilde{\widetilde{P}} + \eta^2 \frac{\partial \widetilde{\widetilde{K}}}{\partial \eta} + \eta \frac{\partial \widetilde{\widetilde{P}}}{\partial \eta} = 0 . \tag{27}$$

Nun ändert sich die Gesamtenergie des Systems nicht, wenn wir dieses entweder im Ganzen im Raum verschieben (translatorische Bewegung), oder um irgendeine Achse (Vektor) drehen (Rotationsbewegung). Diese beiden Bewegungen werden durch zwei Vektoren beschrieben, also durch 6 Größen (2x3 Komponenten), so daß die $3N$ Kernkoordinaten nicht alle frei beweglich sind, sondern noch voneinander abhängen, denn bei den bei den Bewegungen ändern sich zwar alle $3N$ Koordinaten, aber $\widetilde{\mathcal{E}}$ ändert sich nicht, weil es nur von $3N-6$ Koordinaten abhängt. Wir wollen diese Kernkoordinaten $R_1, \ldots, R_{3N-6}$ nennen (sogenannte *innere Kernkoordinaten*). Mit anderen Worten: um $\widetilde{\mathcal{E}}$ von $R_1, \ldots, R_{3N-6}$ abhängig zu erhalten, müssen 6 Koordinaten von den anderen abhängen, so daß diese sechs durch die übrigen ausgedrückt (funktionell abhängig) werden können. Nach (2;262) ergeben sich die beiden Differentiationen in (27) zu

$$\frac{\partial \tilde{\tilde{K}}}{\partial \eta} = \frac{\partial \tilde{\tilde{K}}}{\partial R'_1}\frac{\partial R'_1}{\partial \eta} + \frac{\partial \tilde{\tilde{K}}}{\partial R'_2}\frac{\partial R'_2}{\partial \eta} + \cdots + \frac{\partial \tilde{\tilde{K}}}{\partial R'_{3N-6}}\frac{\partial R'_{3N-6}}{\partial \eta} = \sum_{j=1}^{3N-6}\frac{\partial \tilde{\tilde{K}}}{\partial R'_j}\frac{\partial R'_j}{\partial \eta} \tag{28a}$$

$$\frac{\partial \tilde{\tilde{P}}}{\partial \eta} = \frac{\partial \tilde{\tilde{P}}}{\partial R'_1}\frac{\partial R'_1}{\partial \eta} + \cdots + \frac{\partial \tilde{\tilde{P}}}{\partial R'_{3N-6}}\frac{\partial R'_{3N-6}}{\partial \eta} = \sum_{j=1}^{3N-6}\frac{\partial \tilde{\tilde{P}}}{\partial R'_j}\frac{\partial R'_j}{\partial \eta}, \tag{28b}$$

da natürlich auch $\tilde{\tilde{K}}$ und $\tilde{\tilde{P}}$ von diesen $3\,N-6$ Koordinaten abhängen müssen, wobei entsprechend (20a)

$$R'_j = \eta R_j \tag{20b}$$

angenommen werden muß, denn die R_j lassen sich durch die $R_{\lambda x}$, $R_{\lambda y}$ und $R_{\lambda z}$ ($\lambda = 1, \ldots, N$) ausdrücken. Da wegen (20b)

$$\frac{\partial R'_j}{\partial \eta} = R_j \tag{29}$$

ist, so folgt aus (28a) und (28b)

$$\frac{\partial \tilde{\tilde{K}}}{\partial \eta} = \sum_{j=1}^{3N-6}\frac{\partial \tilde{\tilde{K}}}{\partial R'_j}R_j \tag{30a}$$

$$\frac{\partial \tilde{\tilde{P}}}{\partial \eta} = \sum_{j=1}^{3N-6}\frac{\partial \tilde{\tilde{P}}}{\partial R'_j}R_j. \tag{30b}$$

Nach (27) ist das η implizite gegeben, welches den Erwartungswert von $\mathcal{H}_e$ minimisiert. Setzt man dieses in (26a) ein, so erhält man die tiefste Energie bezüglich des η in (21).

Nehmen wir im besonderen an, daß für $\eta = 1$ in (21) die exakte Lösung ψ erhalten wird, so geht (26a) über in

$$\mathcal{E} = \bar{K} + \bar{P} \tag{31}$$

und (27) schreibt sich, mit (30a) und (30b), da dann $R'_j = R_j$ gilt,

$$2\bar{K} + \bar{P} + \sum_{j=1}^{3N-6} R_j\left\{\frac{\partial \bar{K}}{\partial R_j} + \frac{\partial \bar{P}}{\partial R_j}\right\} = 0, \tag{32}$$

und daraus folgt weiter, wegen (31), der wichtige *Virialsatz für Moleküle*

$$\boxed{2\bar{K} + \bar{P} + \sum_{j=1}^{3N-6} R_j\frac{\partial \mathcal{E}}{\partial R_j} = 0}\,, \tag{33}$$

der einen Zusammenhang zwischen den Erwartungswerten von $\underline{K}$, $\underline{P}$ und der Energie ε herstellt. Setzen wir (31) nochmals in (33) ein, so resultieren zwei Gleichungen

$$\left.\begin{aligned} \bar{K} &= -\varepsilon - \sum_{j=1}^{3N-6} R_j \frac{\partial \varepsilon}{\partial R_j}; \quad (34a) \\ \bar{P} &= 2\varepsilon + \sum_{j=1}^{3N-6} R_j \frac{\partial \varepsilon}{\partial R_j}; \quad (34b) \end{aligned}\right\} \quad \varepsilon(R_1, \ldots, R_{3N-6}),$$

die $\bar{K}$ bzw. $\bar{P}$ als Funktionen der Gesamtenergie und deren Ableitungen nach den „inneren Kernkoordinaten" angeben!

Hätte man in (21) einen Ansatz für ein Atom verwendet, so wäre $\tilde{\psi}$ nicht von R (bzw. R') abhängig gewesen und die Gleichungen (28) und (30) wären nicht aufgetreten. Das Resultat wäre dann der *Virialsatz für Atome* gewesen

$$\bar{K} = -\varepsilon \tag{35a}$$

$$\bar{P} = 2\varepsilon. \tag{35b}$$

Das gleiche muß aber auch für $R_j \to \infty$ $(j = 1, \ldots, 3N-6)$ resultieren, da dann die Summe der Atomenergien auftritt. Es muß also gelten

$$\lim_{R_j \to \infty} R_j \frac{\partial \varepsilon}{\partial R_j} = 0, \tag{36}$$

oder, bis auf eine additive von R_j unabhängige Größe,

$$\varepsilon \approx \frac{\text{const.}}{R_j^{\gamma}}; \qquad (R_j \gg 1), \tag{37a}$$

wenn

$$\gamma > 0, \tag{37b}$$

wie man durch Einsetzen feststellt.

Können die N Atome ein stabiles Gebilde (Moleküle) bilden, welches für $R_j = R_j^{(0)}$ $(j = 1, \ldots, 3N-6)$ dargestellt wird, so gelten in der stabilen Kernlage die Gleichungen

$$\left.\frac{\partial \varepsilon}{\partial R_j}\right|_{R_j^{(0)}} = 0; \qquad (j = 1, \ldots, 3N-6), \tag{38}$$

und aus (34a) folgt

$$\bar{K}_0 = -\varepsilon\left(R_1^{(0)}, \ldots, R_{3N-6}^{(0)}\right). \tag{39}$$

Gehen alle Atome nach Unendlich, so ist wegen (35a)

$$\bar{K}_\infty = \mathcal{E}(a) + \mathcal{E}(b) + \cdots + \mathcal{E}(\mathcal{N}) = \sum_{\lambda=1}^{\mathcal{N}} \mathcal{E}(\lambda), \tag{40}$$

wenn $E(\lambda)$ die Gesamtenergie des λ-ten Atoms bedeutet. Da aber $\mathcal{E}(R_1^{(0)},\ldots,R_{3\mathcal{N}-6}^{(0)})$ nach (38) die tiefste Energie des Systems darstellen soll

$$\mathcal{E}(R_1^{(0)},\ldots,R_{3\mathcal{N}-6}^{(0)}) < \sum_{\lambda=1}^{\mathcal{N}} \mathcal{E}(\lambda), \tag{41}$$

so erhalten wir aus (39) und (40) das wichtige Ergebnis:

$$\boxed{\bar{K}_0 > \bar{K}_\infty .} \tag{42}$$

Beim Zustandekommen einer chemischen Bindung nimmt die kinetische Energie (Erwartungswert der kinetischen Energie) zu. Wegen (31) und (41) folgt weiter daraus, daß im Bindungsfalle (bezogen auf die getrennten Atome) die potentielle Energie abfällt und zwar so stark, daß der Anstieg der kinetischen Energie überkompensiert wird. *Diese Aussage gilt allgemein und für jede Bindung!*

b) Die Störungsrechnungen

α) Zeitabhängige Vorgänge

Sind die Lösungen eines Teiles $\mathcal{H}_0$ des gesamten Hamiltonoperators bekannt,

$$\mathcal{H}_0\, \varphi_i = \mathcal{E}_i^{(0)}\, \varphi_i; \qquad (i = 0, 1, 2 \cdots), \tag{43}$$

wobei

$$\mathcal{H} = \mathcal{H}_0 + V; \qquad (V = \mathcal{H} - \mathcal{H}_0), \tag{43a}$$

so können die Lösungen von

$$\mathcal{H}\Psi = i\hbar \frac{\partial \Psi}{\partial t}; \qquad \left(\mathcal{H}\Psi = i\frac{\partial \Psi}{\partial t}; \text{in at. E.}\right) \tag{44}$$

näherungsweise aus den φ_i berechnet werden. Dabei kann zum Beispiel $\mathcal{H}_0$ der Operator eines freien Atoms oder Moleküls sein, das sich in einem elektrischen Feld (Störungsfeld) V befindet. In diesem Falle sind die φ_i die Lösungen des ungestörten Systems, welches sich in einem *stationären* Zustand befindet. Allgemein ergeben sich daher die Lösungen von (43) in der *zeitabhängigen* Form (stationäre Zustände) zu

$$\varphi_i(\mathfrak{r}, \mathfrak{R}, \sigma)\, e^{-\frac{i}{\hbar}\mathcal{E}_i^{(0)} t}; \qquad (\hbar = 1; \text{ in at. E.}). \tag{45}$$

Die Lösungen von (44) werden im nächsten Schritt linear aus den Funktionen (45) aufgebaut

$$\Psi = \sum_i a_i(t)\, \varphi_i(\mathfrak{r}, \mathfrak{R}, \sigma)\, e^{-\frac{i}{\hbar}\mathcal{E}_i^{(0)} t}, \tag{46}$$

wobei prinzipiell alle Lösungen (auch die des Kontinuums) von (43) auftreten sollten. Nur in diesem Falle ist der verwendete Funktionssatz vollständig und der Ansatz (46) ist mathematisch berechtigt! Für $V \equiv 0$ ergeben sich die a_i in (46) als Konstante und wir erhalten die Darstellung (3;47). Wegen (3;61) können alle φ_i orthonormiert angenommen werden. Wegen ihrer Vollständigkeit gilt auch

$$V\varphi_j = \sum_m \mathrm{b}_{jm}\, \varphi_m; \qquad V = V(\mathfrak{r}, t), \tag{47}$$

wobei sich die b_{mj} zu

$$\mathrm{b}_{mj} = \int \varphi_j^* V \varphi_m \, d\mathfrak{r} = V_{jm}(t) \tag{47a}$$

ergeben, wenn man (47) von links mit φ_m^* multipliziert und dann integriert. Daraus ergibt sich weiter aus (46)

$$V\Psi = \sum_i a_i(t)\, V\varphi_i(\mathfrak{r}, \mathfrak{R}, \sigma)\, e^{-\frac{i}{\hbar}\mathcal{E}_i^{(0)} t} = \sum_i \sum_m a_i(t)\, V_{im}(t)\, \varphi_m\, e^{-\frac{i}{\hbar}\mathcal{E}_i^{(0)} t}. \tag{48}$$

Geht man jetzt mit (46) und (48) in (44) hinein, so ergeben sich die Bestimmungsgleichungen für $a_i(t)$ in der Form

$$\boxed{i\hbar \frac{\partial a_m(t)}{\partial t} = \sum_i a_i(t)\, V_{im}(t)\, e^{-\frac{i}{\hbar}(\mathcal{E}_i^{(0)} - \mathcal{E}_m^{(0)})t}}\ . \tag{49}$$

Man nennt dieses Vorgehen, da V von der Zeit abhängt, die *zeitabhängige Störungsrechnung* (Dirac'sche Störungsrechnung). Bei bekanntem $V(\mathfrak{r},t)$ sind nach (47a) auch die $V_{im}(t)$ bekannt. Damit können die $a_i(t)$ nach (49) berechnet werden. Die Lösungen von (49) werden eindeutig, wenn man noch angibt, welcher stationäre Zustand vorlag, bevor die Störung $V(\mathfrak{r}, t)$ auftrat („eingeschaltet wurde"). Der Ausdruck $a_m^* a_m$ ist dann ein Maß für die *Anregungswahrscheinlichkeit* des Zustandes φ_m mit $\mathcal{E}_m^{(0)}$, die noch von der Zeit abhängt. Sind in (49) *alle* V_{im} für ein bestimmtes m gleich Null, so resultiert

$$\frac{\partial a_m}{\partial t} = 0. \tag{50}$$

a_m ist also eine Konstante (bezüglich der Zeit). War also der Zustand ψ_m vor Einschaltung von $V(\mathfrak{r}, t)$ nicht angeregt ($a_m \equiv 0$), so tritt dieser auch während der Störung nicht auf. $V_{im}(t)$ reguliert daher die Möglichkeit, daß bei der Störung des Systems auch der Zustand ψ_m eingenommen werden kann. Man nennt V_{im} die *Übergangswahrscheinlichkeit* des Überganges $\varphi_i \leftrightarrow \varphi_m$.

β) Zeitunabhängige Störungen

Ist die Störung von der Zeit unabhängig, $V = V(\mathfrak{r})$, so tritt an Stelle von (44) die zeitunabhängige Wellengleichung

$$\mathcal{H}\psi_k = \mathcal{E}_k \psi_k; \qquad (\mathcal{H} = \mathcal{H}_0 + V). \tag{51}$$

Anstelle von (46) ist jetzt (a_{ki} sind Konstante)

$$\psi_k = \sum_i a_{ki}\,\varphi_i \tag{52}$$

zu schreiben. Man behandelt also die stationären Zustände von (43) und ihre Veränderung durch V. Die mathematische Behandlung dieses Vorganges nennt man die *zeitunabhängige Störungsrechnung*. Durch die Störung verändern sich die ursprünglichen Energiezustände, wie in Abb. 46 schematisch wiedergegeben,

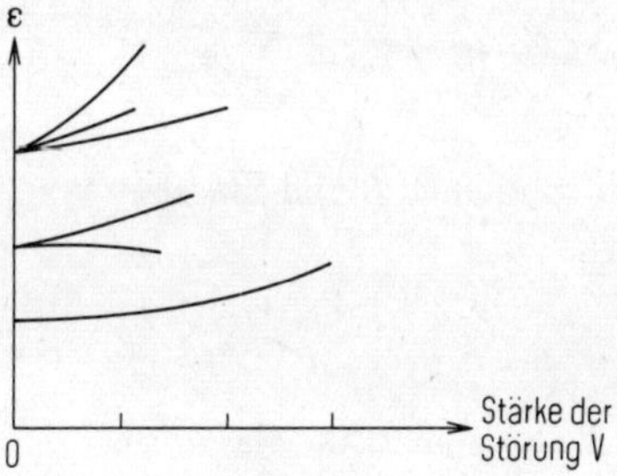

Abb. 46

wobei in der Regel auch ursprünglich entartete $\mathcal{E}$-Werte aufspalten (die Entartung wird aufgehoben).

Wenn die Störung nicht zu groß ist, so wird immer noch in (52)

$$\psi_k \approx \varphi_k \tag{53}$$

gelten, so daß man für (52) auch schreiben kann

$$\psi_k = \varphi_k + \sum_{i \neq k} a_{ki}\,\varphi_i; \qquad (a_{ki} \ll a_{kk} = 1; \quad i = k). \tag{52a}$$

Setzt man nun (52a) in den Erwartungswert der Energie ein und minimisiert diesen in den a_{ki}, wobei man berücksichtigen muß, daß die φ_i ein orthonormiertes System darstellen, so erhält man als Bedingungsgleichungen für die Koeffizienten

$$a_{kl}\,(\mathcal{E}_l^{(0)} - \mathcal{E}) + V_{lk} + \sum_{m \neq k} a_{km}\,V_{lm} = 0; \qquad (l = 1, 2, \ldots), \tag{54}$$

wobei $\mathcal{E}$ die Gesamtenergie des Systems bedeutet und entsprechend (47a)

$$V_{ij} = \int \varphi_i^* \, V\varphi_j \, \mathrm{d}\tau \tag{54a}$$

ist. Die Gleichungen (54) sind schwierig zu behandeln, so daß man diese in der Regel näherungsweise zu lösen versucht. Ist die Störung sehr klein, so wird die Summe in (54) klein sein und wir erhalten, wenn wir diese näherungsweise Null setzen,

$$a_{kl} \approx \frac{V_{lk}}{\mathcal{E}-\mathcal{E}_l^{(0)}} \tag{55}$$

und daher aus (52a)

$$\psi_k \approx \varphi_k + \sum_{i \neq k} \frac{V_{ik}}{\mathcal{E}-\mathcal{E}_i^{(0)}} \, . \tag{56}$$

Für $l = k$ erhält man aus (54) wegen $a_{kk} = 1$ (vgl. (52a)) die eine Gleichung

$$\mathcal{E}_k^{(0)} - \mathcal{E} + V_{kk} + \sum_{m \neq k} a_{km} V_{km} = 0, \tag{57}$$

so daß daraus nach Auflösung nach $\mathcal{E}$ und Einsetzen von (55)

$$\mathcal{E} \approx \mathcal{E}_k^{(0)} + V_{kk} + \sum_{m \neq k} \frac{V_{km} V_{mk}}{\mathcal{E}-\mathcal{E}_m^{(0)}} \tag{58}$$

resultiert. Die Gleichung (58) enthält die Gesamtenergie auf beiden Seiten und läßt sich nicht auflösen. Sie kann iterativ gelöst werden, indem ein $\mathcal{E}$-Wert in die rechte Seite eingesetzt wird und daraus links sich ein $\mathcal{E}$-Wert ergibt, der wieder rechts eingesetzt wird. Dieses Iterationsverfahren könnte solange fortgesetzt werden, bis die beiden letzten $\mathcal{E}$-Werte ausreichend genau übereinstimmen. In der Praxis setzt man auf der rechten Seite $\mathcal{E} = \mathcal{E}_k^{(0)}$ und begnügt sich damit. Man erhält dann

$$\mathcal{E} \approx \mathcal{E}_k^{(0)} + V_{kk} + \sum_{\substack{m \\ (m \neq k)}} \frac{V_{km} V_{mk}}{\mathcal{E}_k^{(0)}-\mathcal{E}_m^{(0)}} \, . \tag{59}$$

Diese Darstellung reicht schon für viele Fälle aus, oft wird auch nur mit

$$\mathcal{E} \approx \mathcal{E}_k^{(0)} + V_{kk} \tag{59a}$$

gerechnet. Im Sinne der Reihenfolge bezeichnet man die Terme in (59) als *nullte, erste* und *zweite Näherung der Störungsrechnung*. In (59a) ist daher bis zur ersten Näherung gegangen worden. In diesem Falle ist zur Berechnung von $\mathcal{E}$ nur $\mathcal{E}_k^{(0)}$ und φ_k notwendig. In der zweiten Näherung treten alle φ_m auf und die dazugehörigen Eigenwerte $\mathcal{E}_m^{(0)}$, was bedeutet, daß dieser Ausdruck praktisch nicht mehr ausgerechnet werden kann. *Man ist daher schon in der zweiten Näherung auf Approximationen angewiesen.* Ein sehr brauchbarer Weg dazu ist folgender: Man schreibt die Identität

$$\frac{1}{\varepsilon_k^{(0)}-\varepsilon_m^{(0)}} \equiv \frac{1}{\varepsilon_x} + \frac{\varepsilon_x-\varepsilon_k^{(0)}+\varepsilon_m^{(0)}}{\varepsilon_x(\varepsilon_k^{(0)}-\varepsilon_m^{(0)})}\,; \qquad \begin{matrix}(m = 1,2,\ldots)\\(m \neq k)\end{matrix}\,, \tag{60}$$

und setzt die linke Seite in die zweite Näherung ein

$$\sum_{\substack{m\\(m\neq k)}} \frac{V_{km}V_{mk}}{\varepsilon_k^{(0)}-\varepsilon_m^{(0)}} = \frac{1}{\varepsilon_x}\sum_{\substack{m\\(m\neq k)}} V_{km}V_{mk} + \sum_{\substack{m\\(m\neq k)}} \frac{\varepsilon_x-\varepsilon_k^{(0)}+\varepsilon_m^{(0)}}{\varepsilon_x(\varepsilon_k^{(0)}-\varepsilon_m^{(0)})} V_{km}V_{mk}\,. \tag{61}$$

Die linke Seite von (60) ist dann am größten, wenn $\varepsilon_m^{(0)}$ ein Eigenwert ist, der $\varepsilon_k^{(0)}$ am nächsten liegt. Dies dürfte für $m = k \pm 1$ der Fall sein, speziell ist $m = k+1$, wenn $\varepsilon_k^{(0)}$ den Grundzustand darstellt ($k = 0$). Setzen wir daher

$$\varepsilon_x = \varepsilon_k^{(0)} - \varepsilon_{k\pm 1}^{(0)}\,, \tag{62}$$

so haben wir damit in (60) durch den ersten Term der rechten Seite den größtmöglichen der linken Seite erfaßt. Alle weiteren Terme müssen kleiner sein. Wir vernachlässigen daher mit (62) die zweite Summe in (61) und erhalten in dieser Näherung

$$\sum_{\substack{m\\(m\neq k)}} \frac{V_{km}V_{mk}}{\varepsilon_k^{(0)}-\varepsilon_m^{(0)}} \approx \frac{1}{\varepsilon_k^{(0)}-\varepsilon_{k\pm 1}^{(0)}} \sum_{\substack{m\\(m\neq k)}} V_{km}V_{mk}\,. \tag{63}$$

Die rechte Seite erfordert zur Berechnung nur noch φ_k, denn aus (47) mit (47a) ergibt sich, wenn mit V multipliziert wird,

$$V^2\varphi_k = \sum_m V_{km}V\varphi_m\,, \tag{64}$$

und wenn wieder für $V\psi_m$ (47) und (47a) eingesetzt wird, schließlich

$$V^2\varphi_k = \sum_m\sum_j V_{km}V_{mj}\varphi_j\,. \tag{65}$$

Multiplikation von links mit φ_k^* und Integration liefert in (65), da die φ_j orthonormiert sind, den Ausdruck

$$\int \varphi_k^* V^2\varphi_k\,d\tau = {}^2V_{kk} = \sum_m V_{km}V_{mk}, \tag{66a}$$

oder

$${}^2V_{kk} - V_{kk}^2 = \sum_{\substack{m\\(m\neq k)}} V_{km}V_{mk}\,, \tag{66b}$$

so daß (63) übergeht in

$$\sum_{\substack{m \\ (m \neq k)}} \frac{V_{km} V_{mk}}{\mathcal{E}_k^{(0)} - \mathcal{E}_m^{(0)}} \approx \frac{{}^2V_{kk} - V_{kk}^2}{\mathcal{E}_k^{(0)} - \mathcal{E}_{k\pm 1}^{(0)}}. \tag{67}$$

Diese Näherung ist sehr brauchbar. Gleichzeitig weiß man, daß

$$\mathcal{E} \leq \mathcal{E}_k^{(0)} + V_{kk} \tag{68}$$

gilt, so daß einige Aussagen über die wirkliche Energie gewonnen werden können. Im Rahmen der Variationsrechnung gelingt es sogar, eine untere Schranke für $\mathcal{E}$ zu finden, indem für den Grundzustand ($k = 0$) gilt

$$\widetilde{\mathcal{E}}_0 - \frac{{}^2\widetilde{\mathcal{H}}_{00} - \widetilde{\mathcal{H}}_{00}^2}{\mathcal{E}_1 - \widetilde{\mathcal{E}}_0} \leq \mathcal{E}_0 \leq \widetilde{\mathcal{E}}_0; \qquad (\widetilde{\mathcal{E}}_0 < \mathcal{E}_1), \tag{69}$$

wobei

$${}^2\widetilde{\mathcal{H}}_{00} = \int \widetilde{\psi}_0^* \mathcal{H}^2 \widetilde{\psi}_0 \, d\tau \tag{69a}$$

und $\mathcal{E}_1$ der nächsthöhere Energieeigenwert ist, für den man auch noch eine untere Grenze einsetzen kann, wenn (69) erfüllt bleiben soll. Stellt $\widetilde{\psi}_0$ die nullte Näherung für ψ_0 dar, so geht (69) über in

$$\mathcal{E}_0^{(0)} + V_{00} + \frac{{}^2V_{00} - V_{00}^2}{\mathcal{E}_0^{(0)} + V_{00} - \mathcal{E}_1} \leq \mathcal{E}_0 \leq \mathcal{E}_0^{(0)} + V_{00}, \tag{70}$$

was bezüglich der rechten Seite mit (68) übereinstimmt. Die linke Seite von (70) folgt aus (59) und (67), wenn für $\mathcal{E}_x$ der Ausdruck ($k = 0$)

$$\mathcal{E}_x = \mathcal{E}_0^{(0)} + V_{00} - \mathcal{E}_1 \tag{71}$$

genommen wird. Es ist zu bedenken, daß wir oben $\mathcal{E}_x$ als ursprünglich freie Größe eingeführt hatten.

B) Spezielle theoretische und halbtheoretische Verfahren

a) Verfahren mit exaktem Hamiltonoperator

Diese Verfahren werden oft, da sie keine empirische Anleihe machen und sozusagen von der exakten Schrödingergleichung (83) aus die Systeme behandeln, ab-initio-Verfahren genannt. Es ist also nach diesen Verfahren, wegen (83), die prinzipiell beliebig genaue Berechnung von $\mathcal{E}$ und ψ möglich! Die Verfahren können nach dem verwendeten Typ der ψ-Funktion, der für $n \geq 2$, immer eine Näherung $\widetilde{\psi}$ sein muß, unterschieden werden.

α) Exakte Lösungen (H-Atom)

Nur im Falle eines Elektrons ($n = 1$) im Feldes eines Kernes (wasserstoffähnliche Systeme) mit der Ladung Z sind die exakten Lösungen der Schrödingergleichung analytisch bekannt. Sie lassen sich durch drei Quantenzahlen (n, l, m) numerieren (vgl. J und v bei Rotation und Schwingung).

$$E_{nlm} \qquad \psi_{nlm}(r, \vartheta, \varphi) \qquad \text{(normiert, und in at. E.)}$$

$$\begin{aligned}
&E_{100} = -0{,}5\,Z^2 \text{ at. E.} && \psi_{100} = \sqrt{\frac{Z^3}{\pi}}\, e^{-Zr} \\
&E_{200} = -0{,}125\,Z^2 \text{ at. E.} && \psi_{200} = \frac{1}{2}\left(\frac{Z^3}{\pi}\right)^{\frac{1}{2}}\left(1 - \frac{Zr}{2}\right) e^{-\frac{Z}{2}r} \\
&E_{21\,\substack{1\\0\\-1}} = -0{,}125\,Z^2 \text{ at. E.} && \psi_{21\,\substack{1\\0\\-1}} = \begin{cases} \left(\dfrac{Z^5}{\pi}\right)^{\frac{1}{2}} r e^{-\frac{Z}{2}} \sin\vartheta\, e^{im\varphi} \\ \left(\dfrac{Z^5}{\pi}\right)^{\frac{1}{2}} r e^{-\frac{Z}{2}r} \cos\vartheta \\ \left(\dfrac{Z^5}{\pi}\right)^{\frac{1}{2}} r e^{-\frac{Z}{2}r} \sin\vartheta\, e^{-im\varphi} \end{cases}
\end{aligned} \tag{1}$$

Der Zustand mit $E = -0{,}125\,Z^2$ at. E. ist 4fach entartet. Für die Quantenzahlen gelten die Einschränkungen:

$$0 \leq l \leq n - 1; \qquad -l \leq m \leq +l; \qquad m \geq 1. \tag{2}$$

Die Zustände mit $n = 1, 2, 3, 4$ ... bilden die K-, L-, M-, N- ... Schale.
s-, p-, d-f... Zustände sind diejenigen mit $l = 0, 1, 2, 3$.... Die Energie E_{n20} gehört zum Beispiel zu einem nd-Zustand. Diese Funktionen sind nicht nur Eigenfunktionen

der Schrödingergleichung, sondern erfüllen auch, wie es sein muß, die Operatorengleichungen von Operatoren, die mit $\mathcal{H}$ vertauschbar sind. Schreiben wir $\underline{M}_z$ in Polarkoordinaten um, so erhalten wir (in at. E.)

$$\underline{M}_z = -i\frac{\partial}{\partial\varphi} \tag{3}$$

und wir sehen, daß gilt

$$\underline{M}_z\,\psi_{nlm} = m\,\psi_{nlm}. \tag{4}$$

In Polarkoordinaten ergibt sich (in at. E.)

$$\underline{M}^2 = -\left[\frac{1}{\sin\vartheta}\frac{\partial}{\partial\vartheta}\left(\sin\vartheta\frac{\partial}{\partial\vartheta}\right) + \frac{1}{\sin^2\vartheta}\frac{\partial^2}{\partial\varphi^2}\right], \tag{5}$$

und wir erhalten

$$\underline{M}^2\psi_{nlm} = l\,(l+1)\,\psi_{nlm}. \tag{6}$$

Schließlich ist im einzelnen (in at. E.)

$$E_{nlm} = -\frac{Z^2}{2n^2}, \tag{7}$$

und die Lösungen ergeben sich allgemein zu

$$\psi_{nlm} = \mathcal{N}\varrho^l\,e^{-\frac{\varrho}{2}}\,L_{n+l}^{(2l+1)}(\varrho)\,P_l^{|m|}(\cos\vartheta)\,e^{im\varphi}, \tag{8}$$

wobei die Normierungskonstante lautet

$$\mathcal{N}^2 = \left(\frac{Z}{n}\right)^3\frac{(n-l-1)!}{8\pi n[(n+l)!]^3}\,\frac{(2l+1)(l-|m|)!}{(l+|m|)!} \tag{8a}$$

und

$$\varrho = \frac{2Z}{n}r \tag{8b}$$

ist. Die $P_l^{|m|}e^{+im\varphi}$ sind die sogenannten *Kugelflächenfunktionen*, die gerade die Lösungen von (6) sind. Da ψ_{nlm} den Radialanteil als Faktor enthält, fällt dieser in (6) heraus. $L_{n+l}^{(2l+1)}(\varrho)$ ist die $(2l+1)$-te Ableitung des *Laguerreschen Polynoms*, welches sich aus

$$L_S(\varrho) = e^{\varrho}\frac{\mathrm{d}^S}{\mathrm{d}\varrho^S}(\varrho^S e^{-\varrho}) \tag{9}$$

bestimmen läßt.

β) *Determinantenentwicklungen (CI-Verfahren)*

Für $n > 1$ besteht eine Möglichkeit darin, die Näherungsfunktion $\tilde{\psi}(\mathfrak{r},\mathfrak{R},\sigma)$ in einer plausiblen Form anzusetzen, mit einer Reihe von freien Parametern zu versehen und diese im Energievariationsverfahren zu bestimmen. Im besonderen kann ein Ritzsches Verfahren angesetzt werden, indem

$$\tilde{\psi}\,(\mathfrak{r}, \mathfrak{R}, \sigma) = \sum_{K=1}^{M} C_K\,\psi_K\,(\mathfrak{r}, \mathfrak{R}, \sigma), \tag{10}$$

und die C_k variiert werden. In jedem Falle erhebt sich die Frage nach den ψ_K. $\tilde{\psi}$ muß immer normierbar sein!
Da die Funktionen auch Spinkoordinaten enthalten, so wäre zuerst zu fordern, daß $\tilde{\psi}$ auch Eigenfunktion zu $\underline{S}_z$ und $\underline{S}^2$ ist. (Liegt ein lineares Molekül vor, so müßte $\tilde{\psi}$ noch die Operatorengleichung mit $\underline{M}_z$ befriedigen.) Unbedingt muß $\tilde{\psi}$ dem Pauliprinzip genügen, also eine antisymmetrische Funktion darstellen. Obwohl man trotz dieser Forderungen an die Näherungslösung der Schrödingergleichung noch frei ist in der Wahl ihrer analytischen Natur, so hat sich eine Darstellung von ψ_K besonders eingebürgert. Es ist dies die Determinantendarstellung mit Hilfe von *Einelektronenfunktionen* $\Phi_j(j) \equiv \Phi_j(\mathfrak{r}_j \mathfrak{R}_1\, \sigma_j)$.

$$\psi_K = \begin{vmatrix} \Phi_1\,(1) & \Phi_1\,(2) & \cdots & \Phi_1(n) \\ \Phi_2(1) & \Phi_2\,(2) & \cdots & \vdots \\ \vdots & \vdots & & \vdots \\ \Phi_n\,(1) & \cdots & \cdots & \Phi_n(n) \end{vmatrix} \equiv |\Phi_1 \ldots \Phi_n|. \tag{11}$$

Diese Funktion ist wegen den Determinanteneigenschaften antisymmetrisch in je zwei Elektronenkoordinaten und schon Eigenfunktion zu $\underline{S}_z$, denn es gilt

$$\underline{S}_Z\,\psi_K = \frac{1}{2}\,(n_\alpha - n_\beta)\,\psi_K\,, \tag{12}$$

wenn n_α und n_β die Anzahlen der α- und β-Spinfunktionen in der Diagonale in (11) bedeuten, wobei wir, da in $\mathcal{H}$ keine Spinkoordinaten vorkommen, die Spinfunktionen als Faktor in Φ_j aufnehmen können

$$\Phi_j(j) = \varphi_j(j) \left\{ {\alpha \atop \beta} \right. . \tag{13}$$

$\varphi_j(j)$ ist dann eine reine *Ortsfunktion.* Was die Eigenschaft von ψ_K bezüglich der Operatorengleichung mit $\underline{S}^2$ anbetrifft, so kann *eine* Determinante nur in wenigen Fällen auch Eigenfunktion zu $\underline{S}^2$ sein. Diese sind:

1. alle φ_j besitzen nur α (oder nur β), es ist dann

$$\underline{S}^2\,\psi_K = \frac{n}{2}\left(\frac{n}{2} + 1\right)\psi_K\,. \tag{14a}$$

2. Je zwei der ψ_j sind gleich und besitzen verschiedene Spinfunktionen (abgeschlossene Schalen, closed shells) und wir haben (gerade Elektronenzahl notwendig)

$$\underline{S}^2\,\psi_K = 0\,\psi_K = 0\,. \tag{14b}$$

In allen anderen Fällen kann nur mit Hilfe einer Linearkombination nach (10) für $\tilde{\psi}$ eine Funktion gefunden werden, die auch für andere Eigenwerte von $\underline{S}^2$ als nach (14a) und (14b) Eigenfunktion ist. Liegen n Elektronen vor, so kommen dabei alle diejenigen Eigenwerte $S(S+1)$ vor, in denen S den Gesamtspin der Elektronen darstellt. Da in atomaren Einheiten der Spin eines Elektrons $\frac{1}{2}$ bzw. $-\frac{1}{2}$ sein kann, so ist S also nach

$$S = \left|\frac{1}{2}(n_\alpha - n_\beta)\right| \tag{15}$$

gegeben, wobei natürlich

$$n_\alpha + n_\beta = n \tag{16}$$

sein muß.

Die vollständige Angabe der Ortsanteile (die Diagonale) bezeichnet man als *Konfiguration* (Elektronenkonfiguration). Alle Darstellungen mit gleichen Ortsanteilen (Konfigurationen) nennt man *verwandt.* Es gibt (bei n Elektronen und da nur zwei Spinfunktionen α und β auftreten können) daher 2^n verwandte Darstellungen (Determinanten). Liegen k einmal auftretende φ_j-Funktionen vor, so gibt es nur 2^k verwandte Determinanten, denn die übrigen $n-k$ Funktionen liegen dann jeweils als Pärchen vor (gleiche Ortsanteile) und müssen, da die Determinante nicht verschwinden darf, jeweils mit α und β multipliziert werden. Wir sehen daraus, daß das Pauliprinzip hier in der Determinantenschreibweise in der Weise wirksam ist, daß es die Besetzung einer Ortsfunktion ψ_j mit maximal zwei Elektronen zuläßt, die allerdings dann ihre Spins antiparallel gestellt haben müssen. Nimmt man den Spin hinzu, so lautet das Pauliprinzip: Jeder *Einelektronenzustand (einschl. Spin) darf nur mit maximal einem Elektron besetzt werden.* Die Doppelbesetzung von Ortszuständen tragen in (15) nichts bei, daher genügt es, die k einfachen Ortsfunktionen zu betrachten. Durch die Forderung, daß $\tilde{\psi}$ in (10) Eigenfunktion zu $\underline{S}^2$ sein soll, sind eine Reihe von C_K schon von vornherein festgelegt und kommen für die Energievariation nicht in Frage!

Kombinieren wir alle 2^k Darstellungen linear

$$\psi_K = \sum_{L=1}^{2^k} A_{KL}\psi_L, \tag{17}$$

so erhalten wir aus dem Säkularproblem*

$$\sum_{L=1}^{2^k} A_L\{\langle\psi_L|\underline{S}^2|\psi_{L'}\rangle - S(S+1)\langle\psi_L|\psi_{L'}\rangle\} = 0; \qquad (L' = 1, 2, \ldots, 2^k) \tag{18}$$

---

* Wir verwenden hier eine andere übliche Bezeichnungsweise für Erwartungswerte und Übergangselemente:

$$\int \Phi^* \underline{O}\varphi\, d\tau \equiv \langle\Phi|\underline{O}|\varphi\rangle$$

(Φ und φ beliebige normierbare Funktionen)

die richtigen Linearkombinationen, die Eigenfunktionen von

$$\underline{S}^2 \psi_K = S(S+1)\,\psi_K \tag{19}$$

sind. Diese setzen wir dann *an Stelle* von ψ_K in (10) ein. Damit sind dann alle C_K in (10) wieder für die Energievariation frei. Man braucht in (10) nur diejenigen ψ_K zu verwenden, die zu den gleichen Eigenwerten von $\underline{S}_z$ und $\underline{S}^2$ gehören, denn nach dem Nichtkombinationssatz kombinieren die anderen nicht miteinander, da ja $\underline{S}_z$ und $\underline{S}^2$ mit $\mathcal{H}$ und miteinander vertauschbar sind. Ein solches Vorgehen nennt man das *Verfahren der Konfigurationen-Wechselwirkung* (configurational interaction, CI-Verfahren), da trotz gleicher Eigenfunktionen zu $\underline{S}_z$ und $\underline{S}^2$ verschiedene Konfigurationen auftreten können, indem neue Ortsanteile in die Entwicklung aufgenommen werden. Die Frage nach der φ_j-Funktion stellt daher das zentrale Problem dar, denn wenn die Entwicklung nach der exakten ψ-Funktion konvergieren soll, so müssen die verwendeten Einteilchenfunktionen einem vollständigen Funktionensystem entnommen sein, damit die Determinanten der Entwicklung ebenfalls ein vollständiges Funktionensystem darstellen können.

γ) *SCF-Methoden*

Die Frage nach den φ_j in den Determinanten ist bisher auf zweierlei Weise behandelt worden.

α) Man kann irgendwelche Einteilchenfunktionen ansetzen, die plausibel erscheinen, und die besonders die Integrationen im Energieausdruck (bei der Variation) nicht allzu schwer machen.

β) Man betrachtet nur eine Determinante und bestimmt die in dieser Determinante stehenden φ_j nach dem Energievariationsverfahren. Mit diesen „besten" φ_j (die entweder analytisch angenähert, oder numerisch vorliegen können) wird dann in die Determinanten-Entwicklung eingegangen.

Bei Anwendung von β) müssen die Punkte 1) und 2) (Formeln (14a)(14b)) beachtet werden. Man rechnet daher vorerst den Fall abgeschlossener Schalen durch und verwendet dann die so erhaltenen φ_j in den anderen Zuständen im Rahmen des *CI*-Verfahrens.

Die Bestimmung der besten φ_j aus

$$\langle \widetilde{\psi} | \mathcal{H} | \widetilde{\psi} \rangle = \min, \tag{20}$$

wenn

$$\widetilde{\psi} = \mathcal{N} |\Phi_1 \ldots \Phi_n|; \qquad (\mathcal{N} = \text{Normierungskonstante}), \tag{20a}$$

liefert für die einzelnen φ_j Bedingungsgleichungen von der Form

$$\underline{F}\varphi_j = \varepsilon_j \varphi_j\,, \tag{21}$$

in welchen $\underline{F}$ ein ziemlich komplizierter Operator ist, der auch *von den übrigen φ_j abhängt.* Die Behandlung von (21) ist nicht einfach. Man geht in der Regel so vor, daß man von einer groben Näherung für $\varphi_j\left(j=1,\ldots,\frac{n}{2}\right)$ ausgeht, $\underline{F}$ damit ausrechnet und dann nach (21) neue φ_j ausrechnet, die dann wieder zur Berechnung von $\underline{F}$ herangezogen werden. Diese Prozedur wird so lange fortgesetzt (Iteration), bis die zuletzt erhaltenen φ_j mit den zuvorletzt erhaltenen ausreichend genau übereinstimmen! Gleichung (21) ist unter dem Namen *Hartree-Fock-Gleichung (HF-Gleichung)* bekannt. Im Hinblick auf das Lösungsverfahren wird auch von einem *selbstkonsistenten Verfahren* gesprochen (*self-consistent-field-method, SCF*).
Die ε_j in (21) sind die sogenannten Einelektronen-Energien (orbital energies). Aus ihnen lassen sich Anregungs- und Ionisierungsenergien berechnen.

δ) *LCAO-Darstellungen und Einelektronenfunktionen*

Die so erhaltenen φ_j (HF-Funktionen, SCF-Funktionen) sind im Falle von Molekülen *Mehrzentrenfunktionen.* Als *weitere Näherung* berechnet man daher nach (21) Atome und setzt die φ_j im Molekülfall näherungsweise als eine Summe eben dieser Atom-Einelektron-Funktionen χ_i an.

$$\varphi_j = \sum_i c_{ji}\chi_i. \tag{22}$$

Dieser Ansatz wird als *Linearkombination von Atomfunktionen* bezeichnet (linear-combination of atomic orbitals, LCAO-Ansatz). Die Bestimmung solcher φ_j in (21) läuft dann auf die Bestimmung derjenigen c_{ij} hinaus, die (21) am besten erfüllen. Man nennt ein solches Vorgehen die *SCF-LCAO-Methode. (Roothaan-Hall-Verfahren).* Da die φ_j bei Molekülen Funktionen sind, die über das ganze Molekül wesentliche Werte besitzen, werden diese *Einelektron-Molekülfunktionen* genannt *(molecular orbitals, MO's).* Man schreibt dann oft auch SCF-MO-LCAO, um anzudeuten, daß es sich um Molekülrechnungen handelt. Die χ_i werden allgemein mit AO (*atomic orbitals*) abgekürzt. Je nachdem, ob AO's oder LCAO's im *CI*-Verfahren Verwendung finden, bezeichnet man die einzelnen Vorgehen mit *CI*-AO oder *CI*-LCAO-(MO). SCF-Rechnungen an Atomen können dann nur SCF-AO-Rechnungen sein. Bezüglich der Atomfunktionen (AO), die hier die zentrale Stelle einnehmen, kann gesagt werden, daß wir als Beispiel die Funktionen in (1) nennen können. Die SCF-Rechnungen an Atomen zeigen aber, daß sich im Energieminimum AO's ergeben, die verschieden von den wasserstoffähnlichen Funktionen sind. Analytische Näherungen für diese AO's führen dann zu den sogenannten *Slaterfunktionen (STO, slater-typ-orbitals)*

$$\varphi_{n'lm} = \mathcal{N} r^{n'-1} e^{-\xi r} P_l^{|m|}(\cos\vartheta)\, e^{im\varphi}\,; \quad n' = n'(n), \tag{23}$$

mit

$$\mathcal{N}^2 = \frac{(2\,\xi)^{2n'+1}}{[\pi(2n')!]}\left[\frac{(2l+1)\,(l-|m|)!}{2\,(l+|m|)!}\right], \tag{23a}$$

oder zu Linearkombinationen (LC-STO) davon. Die letzteren werden als *gemischte* Atomfunktionen bezeichnet *(hybridisierte Funktionen, hybridisation in atoms)*. Werden dagegen STO im Molekül verwendet, so schreibt man LC-STO-MO, wobei hier auch hybridisierte AO's auftreten können. Für den ξ-Exponenten und n' in (23), (23a) existieren Regeln, die eine näherungsweise Berechnung (ohne Energievariation) erlauben (Slater-Rezept). In den letzten Jahren sind weitere Vorschläge zur analytischen Darstellung von Atomfunktionen gemacht worden (Gaußfunktionen GO, Einzentrumentwicklung)!

Behält man die am Einelektronenatom eingeführten Bezeichnungsweisen für die Atomfunktionen (Zustände) bei, die sich in der Reihenfolge (ungefähr energetisch)

$$1s,\ 2s,\ 2p\sigma,\ 2p\pi,\ 2p\bar{\pi},\ 3s,\ 3p\sigma,\ 3p\pi,\ 3p\bar{\pi},\ldots \tag{24}$$

ergeben, wobei für $l>0$ die Werte $m=+1,0$ und -1 mit dem Symbol π, σ und $\bar{\pi}$ bezeichnet werden, so läßt sich eine gewisse Systematik bezüglich der MO in (22) finden, wenn zu Molekülen übergegangen wird.

Liegen etwa zwei *gleiche* Atome *a* und *b* vor, so können in (22) nur bestimmte Atomfunktionen wesentlich auftreten (miteinander Kombinieren). Ganz grob läßt sich folgendes MO-Schema angeben:

$$\begin{array}{ll} 1s_a + 1s_b & 2s_a - 2s_b \\ 1s_a - 1s_b & 2p\sigma_a + 2p\sigma_b \\ 2s_a + 2s_b & 2p\sigma_a - 2p\sigma_b. \\ & \vdots \end{array} \tag{25}$$

Im Sinne der Determinantendarstellung besetzen die Elektronen die einzelnen Molekülfunktionen (Aufbauprinzip) entsprechend dem Pauliprinzip, wobei die einzelnen MO in (25) ganz bestimmte Symmetrieeigenschaften bezüglich der beiden Atome haben. Für zwei *verschiedene* Atome läßt sich ein ähnliches Schema finden.

Die ab-initio-Verfahren sind bisher nur auf kleinere Moleküle ($n \lesssim 20$; $N \leq 5$) angewendet worden, da der Rechenaufwand sehr beträchtlich ist. Da aber in letzter Zeit neue Varianten dieser Verfahren zur Diskussion gestellt worden sind, besteht Hoffnung, daß in Zukunft auch größere Moleküle den wellenmechanischen Rechnungen zugänglich werden ($n \lesssim 100$; $N \lesssim 30$). SCF-MO-P(LCGO)-Verfahren mit sehr einfachen (primitiven) φ- bzw. χ-Funktionen nach (22) lassen sich zur Zeit bis auf Systeme mit ungefähr 150 Elektronen ($N \approx 50$) ausdehnen.

ε) *Halbtheoretische Methoden*

Vereinfachungen der Verfahren, die mit exakten $\mathcal{H}$ rechnen, sind oft dadurch vorgenommen worden, indem einige der im Erwartungswert von $\mathcal{H}$ auftretenden Integrale abgeschätzt oder durch Näherungen approximiert wurden. Dadurch wird zwar der Rechenaufwand verringert, die Aussagen des Variationsverfahrens, daß die erhaltenen $\mathcal{E}$-Werte obere Grenze für die exakten sind, gehen aber dann verloren. Da $\mathcal{E}$ eine Funktion der Kernabstände ist, können die Näherungen sehr stark von den Kernlagen abhängen. Alle Verfahren dieser Abschnitte nennen wir noch *rein theoretische Verfahren*, da sie *keine empirischen Daten verwenden*. Ist dies aber der Fall, so nennen wir solche Methoden die *halbtheoretischen Verfahren*. In diesem Falle kann auch bei den in diesem Abschnitt besprochenen Verfahrensweisen nicht mehr von einer ab-initio-Rechnung gesprochen werden.

In der Regel gehen Meßwerte in die Verfahren in der Weise ein, indem gewisse Integralausdrücke (oder Aggregate davon) zu empirischen Größen (Ionisierungsenergie, Elektronenaffinitäten, Energie von Teilmolekülen) in Beziehung gesetzt werden. Eine halbtheoretische Form des SCF-LCAO-(LCSTO)Verfahrens ist unter dem Namen *Pariser-Parr-(Pople)-Verfahren* bekannt (PPP-Methode). Weitere Verfahren laufen unter den Abkürzungen CNDO, MINDO oder INDO. Sie nehmen auch Approximationen der Überlappungsintegrale vor. Schließlich sei die „extended"Hückel-Methode genannt.

Allen Verfahren, die halbtheoretisch vorgehen, ist gemeinsam, daß die erhaltenen Resultate in manchen Fällen befriedigend in anderen oft in recht unverständlicher Weise schlecht mit den exakten Werten (wenn diese bekannt sind) übereinstimmen. Eigenschaften von Verbindungsklassen werden in der Regel bezügl. ihres Ganges recht gut erfaßt.

b) Methoden mit abgeänderten Hamiltonoperatoren (Modellrechnungen)

Eine Abänderung des zu verwendenden Hamiltonoperators wird hauptsächlich aus zwei Gründen vorgenommen:

1. Um eine Behandlung von größeren Elektronensystemen zu erreichen
2. Um den Rechenaufwand zu reduzieren

In jedem Falle liegt die Meinung zu Grunde, daß man im modifizierten Hamiltonoperator $\tilde{\mathcal{H}}$ noch in einer Näherung einen Operator vor sich hat, der mit $\mathcal{H}$ in vielen Zügen und Verhaltensweise übereinstimmt

$$\tilde{\mathcal{H}} \approx \mathcal{H}, \tag{26}$$

und daß damit auch den mit $\tilde{\mathcal{H}}$ erhaltenen Aussagen ganz bestimmte physikalische und chemische Bedeutungen zukommen. In vielen Fällen können dann auch auf $\tilde{\mathcal{H}}$ die Überlegungen und Verfahren des Abschnitts A) dieses Kapitels angewendet werden. Es ist aber immer wieder zu betonen, daß wir beim Übergang (26) jegliche

Möglichkeit der Aussage über die Genauigkeit der erhaltenen Resultate verloren haben und nicht wissen, ob auch in jedem Falle die gemachten Annahmen und durchgeführten Modifikationen an $\mathcal{H}$ im Hinblick auf die gewünschten Informationen über ein Molekül (oder dessen Reaktivität) berechtigt oder zumindest erlaubt waren! Hierüber liegen zur Zeit keine Untersuchungen vor.

Allen Übergängen nach (26) ist gemeinsam, daß sie den Teil der kinetischen Energie (Δ-Operatorenteil) unverändert lassen.

Schreiben wir für (26) besser

$$\mathcal{H} = \mathcal{H} + \mathcal{H}(\mathcal{H} - \widetilde{\mathcal{H}}) = \widetilde{\mathcal{H}} + V, \tag{27}$$

so ist daher V kein Differentialoperator, sondern irgendeine Potentialfunktion! In (27) haben wir die Ausgangsform von $\mathcal{H}$ für die Störungsrechnung vor uns, wenn V die Störung (Störpotential) bedeutet. Da man aber fast nie weiß, welche V eine gute Konvergenz des störungstheoretischen Verfahrens erwarten lassen, ist man auch hier auf Vermutungen (Hoffnungen) angewiesen. Sobald aber V nicht mehr vollständig berücksichtigt wird, haben wir den Fall eines *abgeänderten Hamiltonoperators* vor uns.

Die Zerlegung nach (27) kann

a) durch die geometrische Struktur des Moleküls

oder

b) durch den inneren Aufbau des Elektronensystems

nahegelegt werden.

α) Atomassoziationen

Ist das Molekül ungefähr kugelförmig (CH_4, NH_3, SiH_4, FH ...), so wird für $\widetilde{\mathcal{H}}$ oft der Hamiltonoperator des sogenannten *vereinigten Atoms* verwendet, welches diejenige Kernladung hat, die sich aus der Summe der Kernladungen der beteiligten Atome ergibt. Die Lage dieses fiktiven Atoms ist entweder im Ladungsschwerpunkt oder am Ort der größten Kernladung im Molekül.

Ein solches Vorgehen nennen wir das *Verfahren des vereinigten Atoms* (method of united atom). V stellt dann die entsprechende Korrektur dar, deren Erwartungswerte und Übergangselemente verschwinden, wenn zum vereinigten Atom übergegangen wird. Das dazu diametrale Vorgehen wird als *Verfahren der getrennten Atome* bezeichnet (method of separated atoms). In diesem Falle stellt $\widetilde{\mathcal{H}}$ den Operator der N Atome dar, wenn diese entweder ohne Wechselwirkungen betrachtet (die dann in V auftreten) oder unendlich weit gedacht werden. Auch hier kann V die Rolle einer „Störung" spielen („atoms in molecules").

In beiden Fällen wird in der Regel mit einem $\widetilde{\psi}$ gerechnet, welches Lösung (als Näherungslösung) von $\widetilde{\mathcal{H}}$ ist. Das gilt auch für die *Vorstellung der Atomassozia-*

tionen, in welcher $\mathcal{H}$ prinzipiell so oft zerlegt werden kann, wie sich N Atome durch das Nullwerden einiger Kernabstände und Vernachlässigung der Wechselwirkungen zwischen den durch diese Übergänge entstandenen *fiktiven* Atomen in sogenannte Atomassoziationen darstellen lassen. Unter den Assoziationen treten dann auch die Darstellungen des vereinigten Atoms und der getrennten Atome auf, die sich hier als Spezialfälle ergeben. Die Methode der Atomassoziationen faßt dann alle Atomassoziationen in einen linearen Ansatz in $\tilde{\Psi}$ zusammen, wobei von der Zerlegung von $\mathcal{H}$ bei der Berechnung der Matrixelemente Gebrauch gemacht wird. Die Integrale über die jeweiligen V werden dabei approximiert.

Hier gilt ebenfalls das am Ende von Abschnit 4Bε) Gesagte, daß alle diese Verfahren auch in halbtheoretischer Form angewendet worden sind.

β) *Effektives (Pseudo-)Potential*

Der exakte Hamiltonoperator $\mathcal{H}$ (ohne Kernabstoßungspotential $\overline{W}$, was zu E addiert werden kann)

$$\mathcal{H} = \sum_{i=1}^{n} H(i) + \sum_{i=1}^{n-1} \sum_{j=i+1}^{n} \frac{1}{r_{ij}} \quad ; \qquad \text{(at. E.)} \tag{28}$$

mit

$$H(i) = -\frac{1}{2}\Delta_i - \sum_{\lambda=1}^{N} \frac{Z_\lambda}{r_{\lambda i}} \tag{28a}$$

wird in diesem Falle durch

$$\tilde{\mathcal{H}} = \sum_{i=1}^{n} \tilde{H}(i) \tag{29}$$

ersetzt, wobei die $\tilde{H}(i)$ *Einteilchenoperatoren* sind, und im einzelnen wie folgt geschrieben werden

$$\tilde{H}(i) = -\frac{1}{2}\Delta_i + U(i) - \sum_{\lambda=1}^{N} \frac{Z_\lambda}{r_{\lambda i}} = H(i) + U(i). \tag{29a}$$

$U(i)$ ist ebenfalls ein Einteilchenpotential. Danach bedeutet (29) und (29a), daß in (27)

$$V = \sum_{i=1}^{n-1} \sum_{j=i+1}^{n} \frac{1}{r_{ij}} - \sum_{i=1}^{n} U(i) \tag{30}$$

ist. Der Operator $\mathcal{H}$ ist auf diese Weise durch eine Summe von Einteilchenoperatoren ersetzt worden, deren Schrödingergleichung eine einfache Darstellung der Lösungen zuläßt. In diesem Falle nämlich ist die exakte Lösung von

$$\tilde{\mathcal{H}}\,\psi = \left(\sum_{i=1}^{n} \tilde{H}(i)\right)\psi = \tilde{E}\,\psi \tag{31}$$

eine Determinante nach (11), wobei die einzelnen Φ_j Eigenfunktionen von

$$\widetilde{H}(i)\,\Phi_i = \varepsilon_i \Phi_i \tag{32}$$

sind. Die Gesamtenergie (Elektronenenergie) $\widetilde{E}$ ergibt sich dann als Summe der ε_j in (32)

$$\widetilde{E} = \sum_j n_j \varepsilon_j, \tag{33}$$

wobei (entsprechend der einfachen Fassung des Pauliprinzips) die Zustände Φ_j (mit ε_j) maximal mit zwei Elektronen besetzt sein dürfen (Abb. 47).

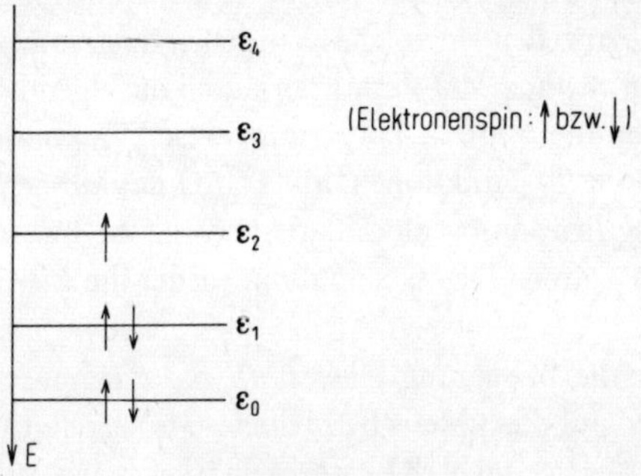

Abb. 47

Es gilt daher für n_j in (33)

$$0 \leq n_j \leq 2 \tag{33a}$$

mit

$$\sum_j n_j = n. \tag{33b}$$

Wäre $U(i)$ in (29a) gleich Null, so wären die Φ_j in (32) die Eigenfunktionen eines Einelektronensystems, welches aus $\mathcal{N}$ Zentren (Atomkernen) mit den Ladungen $\mathcal{Z}_\lambda$($\lambda = 1, \ldots, \mathcal{N}$) besteht (MO-Funktionen). Ist $\mathcal{N} = 1$, so gehen diese in die Eigenfunktionen der Einelektronenatome mit der Ladung $\mathcal{Z}$ über, von denen einige in (1) angegeben worden sind. Nach (7) ergeben sich dann die Energien. Da aber die Elektronen durch die Terme $1/r_{ij}$ in $\mathcal{H}$ miteinander wechselwirken, verschwindet $U(i)$ in (29a) nicht, sondern stellt die *näherungsweise Berücksichtigung* dieser Wechselwirkungen dar, die in diesem Falle durch ein Potential $U(i)$ angenähert werden. Man nennt daher $U(i)$ das *effektive Potential* (zum Elektron i); auch der Ausdruck Pseudopotential ist üblich. Seine Form wird in den Verfahren verschieden angesetzt, häufig halbempirisch, oder aufgrund qualitativer Überlegungen.

Es kann in *keinem Falle* die Elektronenwechselwirkungen ersetzen, was man schon aus (30) erkennt, wo V nicht identisch Null werden kann. Es gilt daher immer nur

$$\sum_{i=1}^{n} U(i) \approx \sum_{i=1}^{n-1} \sum_{j=i+1}^{n} \frac{1}{r_{ij}}. \tag{34}$$

Es ist möglich $U(i)$ aus Variationsrechnungen zu bestimmen, worauf nur hingewiesen werden soll.

Auch hier könnte mit einem V nach (30), wenn $U(i)$ z.B. plausibel angesetzt wird (damit etwa die Störungsrechnung gut konvergiert), die Störungsrechnung begonnen werden. Bei einer großen Anzahl von Verfahren aber wird darauf verzichtet und die Rechnungen mit (32) unter Verwendung eines für brauchbar gehaltenen $U(i)$ durchgeführt. Man nennt zuweilen ein solches Vorgehen das *verkürzte Verfahren der Molekül-Einelektronenzustände* (MO-Verfahren), weil die eigentlich darauf notwendig folgende Störungsrechnung wegfällt. Näherungsweise kann man dann in einem weiteren Näherungsschritt, die Φ_j-Funktionen als LCAO-Funktionen ansetzen (MO-LCAO-Verfahren). Hier gelten dann die Überlegungen, die im Zusammenhang mit (25) angedeutet worden waren. Die ε_j sind dann wieder die *Einteilchen-Molekül-Energiezustände.*

$U(i)$ hat ungefähr die Bedeutung eines *mittleren Potentials*, welches von $n-1$ Elektronen im Hinblick auf das jeweils betrachtete (i-te) erzeugt wird. In diesem Potential werden die n Elektronen nach (31) wechselwirkungsfrei behandelt. Gelegentlich ist dieses Pseudopotential auch von dem Elektronenzustand abhängig, in welchem sich jeweils das herausgegriffene Elektron befindet.

Ein Kompromiß wird oft dadurch geschlossen, daß nur ein Teil (n') der Elektronen mit Wechselwirkungen behandelt wird, die sich in einem effektiven Potential der übrigen $n-n'$ Elektronen befinden. Auf die n' Elektronen können dann wieder die Methoden des Abschnitts A) Anwendung finden, denn der jetzt vorliegende Hamiltonoperator $\tilde{\mathcal{H}}$ hat die Form

$$\tilde{\mathcal{H}} = -\frac{1}{2}\sum_{i=1}^{n'} \Delta_i - \sum_{i=1}^{n'} \sum_{\lambda=1}^{N} \frac{Z_\lambda}{r_{\lambda i}} + \sum_{i=1}^{n'} U'(i) + \sum_{i=1}^{n'-1} \sum_{j=i+1}^{n'} \frac{1}{r_{ij}}, \tag{35}$$

wobei U' von den $n-n'$ Elektronen erzeugt wird. Dieser Standpunkt wird besonders bei Atomrechnungen (wo die inneren Elektronen das U' liefern) und bei den Molekülen mit π-Elektronen (Elektronen deren Φ näherungsweise eine $2p\pi$-Funktion ist) eingenommen, wobei im letzten Falle die Elektronen, die sich besonders in der Nähe von Atomkernen oder in Bindungen, die von $2p\sigma$-Zuständen erfaßt werden (σ-Elektronen), aufhalten ($|\Phi_j|^2$ ist an dieser Stelle groß oder hat $2p\sigma$-Charakter), weggelassen werden und nur in U' wirksam sind *(Pariser-Parr-Verfahren).*

Aus den Koeffizienten c_{ij} (nach (22)) solcher Einteilchen-Molekülfunktionen (nach (32) sowie nach (35)) können Informationen über die Dichteverteilungen der Elektronen insgesamt und in den jeweiligen Einteilchen-Molekülzuständen erhalten werden (Ladungs- und Bindungsordnungen q_λ und $p_{\lambda\mu}$). Sie stehen besonders bei Verbindungen mit π- Elektronen im Zusammenhang mit dem Valenzstrichschema und mit den Strukturen, die man für die jeweiligen Moleküle aufschreibt. Auch Schlüsse auf die Reaktionsfähigkeit lassen sich aus den Werten von q_λ und $p_{\lambda\mu}$ ziehen. Je nachdem, wie in Abb. 47 die Zustände besetzt werden, ergeben sich verschiedene $\widetilde{E}$-Werte, aus denen die $\breve{\mathcal{E}}$ folgen. Aus Kap. 3 Gl. (9) berechnen sich dann die Frequenzen.

Eine der vielen halbtheoretischen Fassungen des LCAO-Verfahrens verzichtet überhaupt auf die Kenntnis von $U(i)$, indem alle Integrale, die mit $U(i)$ gebildet sind, an Meßwerten justiert werden *(Hückel-Verfahren)*. Bei diesem Vorgehen wird mit LCAO-Ansätzen in (32) eingegangen, wobei noch zuzüglich viele Integrale (vgl. Variationsrechnung, Abschnitt 4; Aa) vernachlässigt werden.

γ) *Elektronengasmethode*

Eine ganz grobe Vereinfachung von $\mathcal{H}$ wird in der *Elektronengasmethode* vorgenommen. Hier stellt U in der einfachen Fassung ein konstantes Potential dar, welches ungefähr die Dimension des Moleküls hat. In den anderen Raumgebieten ist U unendlich, so daß die Elektronen, die in diesem Gebiet („Potentialtopf") wieder wechselwirkungsfrei behandelt werden, dieses nicht verlassen können. Diese Näherung hat sich besonders bei Verbindungen mit π-Elektronen (Farbstoffmoleküle) gut bewährt. Verbesserungen bestehen darin, die Elektronenwechselwirkungen durch eine „Wellung" des Potentials teilweise zu berücksichtigen (Abb. 48)

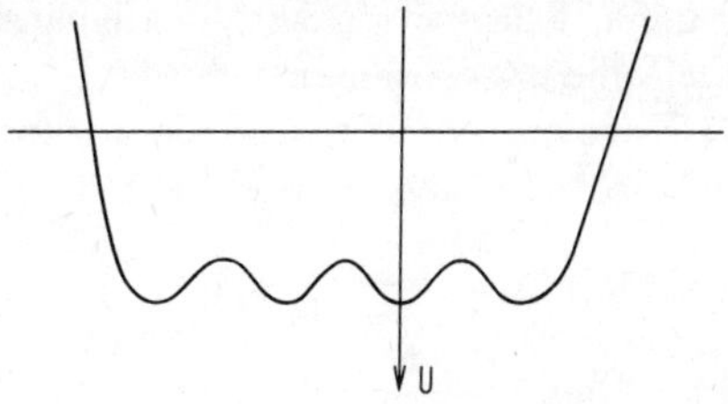

Abb. 48

Ein solches Vorgehen kann nur halbtheoretisch sein, da schon das Potentialverhalten aus der Erfahrung entnommen werden muß. Die Rechnungen sind aber relativ zu den anderen Verfahren sehr einfach. Auch hier wird das effektive Potential von den σ-Elektronen und Atomrümpfen erzeugt gedacht.

Die Elektronengasmethode (free electron model, FE-method) hat mit dem einfachen LCAO-Verfahren die Tatsache gemeinsam, daß beide Verfahren sehr stark von der Symmetrie der Moleküle her beeinflußt werden, was sich manchmal günstig auf die Ergebnisse und auf die Verfahrensweisen auswirkt, aber die Anwendbarkeit dieser

Methoden wiederum praktisch nur auf die stabilen Kernlagen beschränkt. Auch in vielem anderen ist die FE-Methode mit dem LCAO-Verfahren äquivalent. Wir wollen bei dieser Gelegenheit betonen, daß ein begründetes Voraussagen von Moleküleigenschaften (Reaktivität) nur bei ungefährer Kenntnis der Energiehyperflächen möglich ist. Gerade in dieser Richtung versagen die halbtheoretischen Verfahren sehr häufig.

Eine weitere Vereinfachung der Elektronengasmethode besteht bei ebenen oder linearen Molekülen (mit π-Elektronen) darin, die Schrödingergleichung (32) mit $U = \text{const.}$ nur in zwei oder einer Dimension aufzuschreiben. Im letzten Fall resultiert dann schließlich

$$-\frac{1}{2}\frac{d^2\Phi}{ds^2} + U\Phi = \varepsilon\Phi, \qquad (36)$$

wobei U eindimensional (Koordinate S) entlang der Atomkette definiert und außerhalb unendlich ist (Abb. 48).

Diese Gleichung steht im Zusammenhang mit der Differentialgleichung der Schwingungen, so daß hier der Einsatz für Analogrechnungen und Analogiegeräte gefunden ist!

Alle Verfahren dieses Abschnitts b) führen nach (31) ebenfalls zu einer Gesamtwellenfunktion für das Vielektronensystem im Potential der Kerne (und Atomrümpfe), aus der dann die Informationen über das System mit Hilfe der Erwartungswerte und Übergangselemente erhalten werden können. Im Gegensatz zu den Verfahren im Abschnitt a) liegen den Vereinfachungen, die im Übergang (26) stattfinden, zum Teil sehr anschauliche Vorstellungen zu Grunde (die teilweise aus anderen Gebieten der Physik herrühren), so daß man diese Gruppe von Verfahren recht gut als *Modellrechnungen* bezeichnen kann, indem die Modellvorstellungen selbst bildliche Abkürzungen für verwickelte Näherungsverfahren darstellen, ohne dabei einen Erkenntniswert zu besitzen. Die Frage nach der Verwendung von empirischen Werten geht das Methodische an und berührt die Modellvorstellung nur am Rande.

Literaturhinweise

Es sind nur einige wenige derjenigen Bücher aufgenommen worden, die sich besonders an den Anfänger wenden. Die Zusammenstellung ist daher keineswegs vollständig!

Mathematik

B. Baule: „Die Mathematik des Naturforschers und Ingenieurs" Hirzel 1944
G. Alexits; S. Fenyö: „Mathematik für Chemiker" Akademische Verlagsgesellschaft 1962
J. D. Jackson: „Mathematics for Quantum Mechanics" Benjamin, 1962
H. Sirk, Dräger: „Mathematik für Naturwissenschaftler und Chemiker" Steinkopf, 1962

Wellenmechanik (gilt für Quantenchemie)

H. Hartmann: „Die chemische Bindung" Springer 1955
W. Heitler: „Elementare Wellenmechanik" Vieweg 1961
J. W. Linnett: „Wave mechanics and valency" Methuen 1960
C. A. Coulson: „Die chemische Bindung" Hirzel 1969
W. Kauzmann: „Quantum Chemistry" Academic press 1957

Lösungen der Aufgaben

1, S. 20 Die Lösung lautet: $x_3 = e^{-\frac{1}{2}(x_1 + x_2 e^{-x_1})}$

2, S. 20 Es ist $|\mathcal{Z}| = 5$.

3, S. 37 Es ist

$$\mathfrak{C} = \begin{pmatrix} 5 & 3 & 7 \\ 4 & 1 & 7 \\ 5 & 1 & 5 \end{pmatrix} \qquad \mathfrak{C}' = \begin{pmatrix} 5 & 4 & 5 \\ 3 & 1 & 1 \\ 7 & 7 & 5 \end{pmatrix}$$

Daraus folgt $|\vartheta| = 0$.

4, S. 37

$$\mathfrak{A}^{-1} = -\frac{1}{4}\begin{pmatrix} 0 & -2 & 2 \\ -2 & 1 & -1 \\ 2 & -1 & -3 \end{pmatrix}.$$

5, S. 52 $\mathfrak{v}_1$, $\mathfrak{v}_2$ und $\mathfrak{v}_3$ sind linearabhängig, denn es gilt

$$\begin{vmatrix} 2 & 3 & 1 \\ 1 & -1 & 0 \\ 5 & 10 & 3 \end{vmatrix} = 0.$$

6, S. 53 Es gilt $(\mathfrak{v}_1\ \mathfrak{v}_2) = 0$. Die beiden Vektoren stehen senkrecht aufeinander.

7, S. 81 Nein, denn es gilt nach der Quotientenregel

$$\frac{n+1}{x} > 1 \ ; \quad (x > 0)$$

für alle x-Werte, wenn $n > x - 1$. In der Praxis wird aber die Reihe dort abgebrochen, wo die Glieder beginnen wieder größer zu werden, also bei $n = x$. Man erhält dann eine Näherung für $E(x)$ (sogen. semikonvergente Reihe).

8, S. 82 Mit $f(x)e^{-\frac{1}{2}x^2}$ ergibt sich

$$-f'' + 2xf + (1-\lambda)f = 0,$$

da der Exponentialfaktor immer positiv ist. Einsetzen der Potenzreihe von f und Potenzenvergleich liefert:

$$(j+2)(j+1)\,a_{j+2} + (\lambda-1-2j)\,a_j = 0.$$

Sollen alle $a_j (j > n)$ verschwinden, so muß der Faktor von a_n gleich Null gesetzt werden. Das führt zu

$$\lambda = 2n+1 \qquad (n = 0, 1, 2, \ldots).$$

Für $n = 0$, also $\lambda = 1$, wird somit der tiefste Eigenwert erhalten!

9, S. 94 Man setzt $\psi = Ne^{-\alpha r}$ und hat zu verlangen

$$\int \psi^2 \mathrm{d}\tau = N^2 \int e^{-2\alpha r} \mathrm{d}\tau = 1.$$

Nach Einführung von Polarkoordinaten erhält man

$$N^2 \int_0^{2\pi} \int_{-1}^{+1} \int_0^{\infty} e^{-2\alpha r} r^2 \mathrm{d}r \mathrm{d}(\cos\vartheta) \mathrm{d}\varphi = 4\pi N^2 \int_0^{\infty} e^{-2\alpha r} r^2 \mathrm{d}r = \frac{\pi N^2}{\alpha^3},$$

also lautet die normierte Funktion

$$\psi(r) = \sqrt{\frac{\alpha^3}{\pi}}\, e^{-\alpha r},$$

$$\left(\text{es ist } \int_0^{\infty} e^{-\lambda x} x^n \mathrm{d}x = \frac{n!}{\lambda^{n+1}}\right).$$

10, S. 94 Nach Einführung der elliptischen Koordinaten nimmt das Integral die folgende Form an (vgl. (195), (196), (412))

$$\frac{\alpha^3}{\pi}\left(\frac{R}{2}\right)^3 \int_0^{2\pi} \int_1^{\infty} \int_{-1}^{+1} e^{-R\alpha\mu}\left(\mu^2 - \nu^2\right) \mathrm{d}\varphi\, \mathrm{d}\mu\, \mathrm{d}\nu.$$

Setzt man dann $x = \alpha R$ und integriert über φ und ν, so resultiert:

$$\frac{x^3}{2} \int_1^{\infty} e^{-x\mu}\left(\mu^2 - \frac{1}{3}\right) \mathrm{d}\mu.$$

Nach partieller Integration ergibt sich schließlich

$$\int \Phi\varphi \mathrm{d}\tau = e^{-x}\left(1+x+\frac{1}{3}x^2\right).$$

Man beachte dabei, daß auch

$$\int_1^\infty e^{-x\mu}\,\mu^2 \mathrm{d}\mu = \frac{\mathrm{d}^2}{\mathrm{d}x^2}\int_1^\infty e^{-x\mu}\,\mathrm{d}\mu\,!$$

11, S. 103 Man bilde (vgl. (24))

$$\psi^*\psi\Delta\mathfrak{r} = \frac{1}{\pi}e^{-2r}\,r^2\,\Delta r\,\Delta(\cos\vartheta)\,\Delta\varphi.$$

Da die Wellenfunktion nur vom Radius r abhängt, muß, bei konstantem Volumenelement, das Maximum von

$$\varrho(r) = e^{-2r}\,r^2$$

gesucht werden. Dieses liegt bei $r = 1$ at. E.; $\left(\left.\frac{\mathrm{d}\varrho}{\mathrm{d}r}\right|_{r=1} = 0\right)$. Das Elektron befindet sich also am wahrscheinlichsten auf einer Kugelschale mit dem Radius Eins ($r = a_0$).

12, S. 103 Es ist (vgl. (19))

$$\Delta x \geq \frac{h}{m\Delta v} = \frac{66{,}25}{9{,}108\,\Delta v} = \frac{66{,}25}{9{,}108\times 100} \approx 0{,}07 \text{ cm}.$$

13, S. 107 Für HeH^+ ist

$$\mathcal{H} = -\frac{\hbar^2}{2m}\left\{\Delta_1+\Delta_2\right\} - \frac{e^2}{r_{a1}} - \frac{e^2}{r_{a2}} - \frac{2e^2}{r_{b1}} - \frac{2e^2}{r_{b2}} + \frac{1}{r_{12}},$$

wobei im Zentrum b das He-Atom liegt. Der Hamiltonoperator für CH_4 in at. E. lautet:

$$\mathcal{H} = -\frac{1}{2}\sum_{i=1}^{10}\Delta_i - 6\sum_{i=1}^{10}\frac{1}{r_{ai}} - \sum_{i=1}^{10}\left\{\frac{1}{r_{bi}}+\frac{1}{r_{b'i}}+\frac{1}{r_{b''i}}+\frac{1}{r_{b'''i}}\right\} + \sum_{i=1}^{9}\sum_{j=i+1}^{10}\frac{1}{r_{ij}},$$

wenn im Zentrum a das Kohlenstoffatom liegt. Die Lage der vier H-Atome ist durch die Zentren b, b', b'' und b''' gekennzeichnet.

14, S. 107 $-\dfrac{\hbar^2}{2m}\dfrac{\partial^2\Psi}{\partial x^2} = i\hbar\dfrac{\partial\Psi}{\partial t}$ oder $\dfrac{\partial^2\Psi}{\partial x^2} = a\dfrac{\partial\Psi}{\partial t}$ mit $a = \dfrac{2m}{i\hbar}$.

15, S. 113 Es ist

$$\int_{-\infty}^{+\infty} \psi_1 \frac{d^2}{dx^2} \psi_2 dx = \psi_1 \frac{d}{dx} \psi_2 \Big|_{-\infty}^{+\infty} - \int_{-\infty}^{+\infty} \frac{d\psi_1}{dx} \frac{d\psi_2}{dx} dx,$$

wobei das erste Glied der rechten Seite verschwindet, weil die Wellenfunktionen und ihre Ableitungen im Unendlichen verschwinden (Normierungsbedingung). Das zweite Glied ergibt sich weiter zu

$$-\int_{-\infty}^{+\infty} \frac{d\psi_1}{dx} \frac{d\psi_2}{dx} dx = -\frac{d\psi_1}{dx} \psi_2 \Big|_{-\infty}^{+\infty} + \int_{-\infty}^{+\infty} \psi_2 \frac{d^2\psi_1}{dx^2} dx,$$

so daß, nach Verschwinden des ersten Gliedes, der Beweis erfolgt ist.

16, S. 113 Aus Aufgabe 8 ergeben sich die beiden Lösungen (unnormiert) zu

$$y_0 = e^{-\frac{1}{2}x^2} \qquad y_1 = x e^{-\frac{1}{2}x^2},$$

wenn in der Rekursionsformel $n = 0$ bzw. $n = 1$ gesetzt wird (a_0 und a_1 beliebig). Das Integral

$$\int_{-\infty}^{+\infty} y_0 y_1 \, dx = \int_{-\infty}^{+\infty} x e^{-x^2} dx$$

verschwindet, weil (Transformation von x auf $-x$)

$$\int_{-\infty}^{+\infty} x e^{-x^2} dx = \int_{-\infty}^{0} x e^{-x^2} dx + \int_{0}^{\infty} x e^{-x^2} dx = -\int_{0}^{\infty} x e^{-x^2} dx + \int_{0}^{\infty} x e^{-x^2} dx = 0 .$$

17, S. 120 Die Fläche sieht qualitativ wie folgt aus:

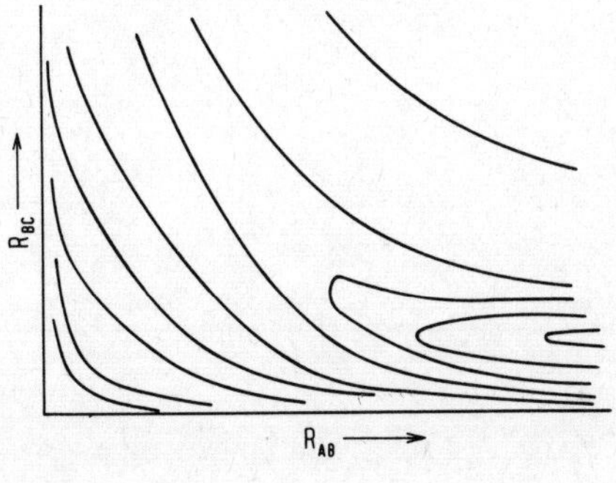

Man erfaßt damit die Vorgänge

$A + B + C \rightleftharpoons A + BC$ (Rekombination, Dissoziation)

$A + BC \rightleftharpoons A + BC$ (Streuung).

18, S. 120 Die Energiekurve hat die Gestalt (einschließlich Schwingungszustände).

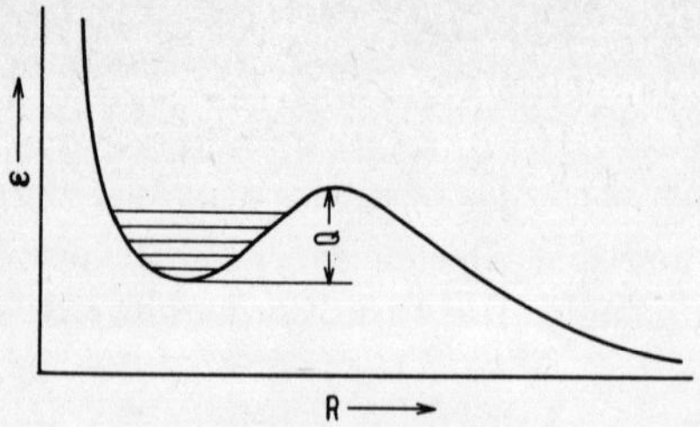

Mit dieser Kurve läßt sich auch der monomolekulare Zerfall diskutieren, wenn R die Reaktionskoordinate bedeutet. Der „Potentialberg" Q ist ein Maß für die Aktivierungsenergie.

Sachverzeichnis